こちら葛飾区亀有公園前派出所⑰ 秋本

集

こちら葛飾区亀有公園前派出所⑰

目次

建前パーティーの巻
国道
66
ROUTE

有公園前派出所
交通安全
ブオオオ…

有公園前

ハラへった…

ゆうべから なにも たべて ないよ 金が あればなあ…
♪働く気も なきゃ せにもない♪
だけど会社も休まない
こんな おもちゃ 買うんじゃ なかったな ウナ丼でも たべた方が よかった…
2台買えば ステレオに なると思ったが うるさいだけだ
金を返せの その声は
♪空気だから 聞こえない…

この際 たべられる 物なら なんでも いい
なにか ないかな
よい子のアニメ
ねじ式
7月4日 スタート

やったあ! 納豆発見!
だれの物かしらんがいただき!

弱肉強食! 先に みつけた方が勝ちだ
キャベツも発見! すごいぞ!

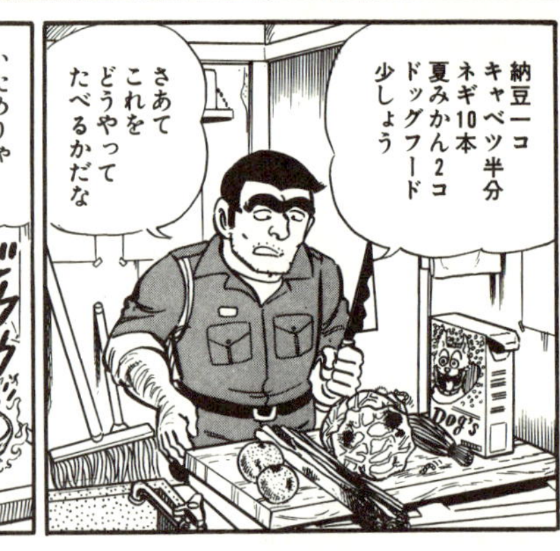
納豆一コ
キャベツ半分
ネギ10本
夏みかん2コ
ドッグフード
少しょう
さあて これをどうやってたべるかだな
Dog's

いためりゃなんとかなるだろう! 火を通せばバイキンも死ぬ!
ジュワ
火の用

なんだあ この納豆は!?
腐ってるじゃないか!
ネバ〜〜

まあ いいや 大豆が腐ったのが納豆だからな より 味が倍加して うまいかもしれん
わしは こまかいこと気にしない主義だ!
今回 小林よしのり氏に手伝ってもらった所があります どこでしょう?

うーむ
なんとなく
たべ物らしく
なってきた

ソース
しょうゆ
砂糖
みそ
マヨネーズ
とにかく
あるだけ
全部
入れてみる
さとう

完成!
これぞ
夏をのりきる
スタミナ料理

糸の引き方が
すごい!
いただき
まーす

モグ
モグ

う〜〜む
表現しがたい
味だ……
しかし
たべられん
こともない…
と思う

ちょっと
息が つまる
複雑な味
だな
ソースを
もっと入れて
味の統一を
はかろう!

なんだかんだいって全部たべてしまった!
これで 多少ハラの方がおちついたよ

ハラがいっぱいになるとねむくなる
これぞ自然の原理!
ガタン
ゴロッ
自然にさからってはいかん!

あっ

これは! これは! 部長さんじゃありませんか!!
ガバッ
くってすぐ寝る…おまえは動物か!

山本さんの建前にはもう　いってきたのか?
えっ　建前…

私　いくことになってましたっけ?
これだ!　きのうわしがあれだけたのんだのに………

今すぐいってこい!　祝い物置いたらすぐ帰ってくるんだぞ
祝い物ってなに　もっていけばいいんすか?

酒の2本もつつんでもっていくんだ
たてかえたお金はあとで払ういけ!

たてかえたくても一円もない!
まったくどういう生活をしているんだおまえ………

ちぇっ　2本分の金しかくれねえの!　ケチだねえまったく

あっ
ゲームセンター

目の前にはゲームセンター手には現金
人間の弱い心に悪の誘いがのびる

いかん！この金は酒代だ！だめだ！
ダッ

うっ悪魔の声が！

い…いかん！また部長におこられる
意志を強く持つのだ！
ピロロ〜

……といいつつも………
悪魔に負けてしまう両さんであった

酒おとどけにあがりました
すいませんそこに置いといてください
コップもっと用意しといた方がいいな

山本さん本日の上棟式おめでとうございます
どうもおかげさまでようやく我が家がもてましたよ

総ひのき造りですってね大工さんもほめてましたよ……
いやあ私も家にはうるさい方でね

この柱ひとつにしても最高の木を使ってくれといいましたよ
さすがですなあ

おもえば10年前からの計画ですからな…はははは……
両さんまだみえてないですね

えっ？大原さんじゃないんですか？
代理だって！酒屋でいっしょになりましたよ

おいいそいでその酒をかくすんだ！
えっ？みんなでのむんじゃないんすか？
祝町内会一同

うわばみみたいな人がくるんだよ！
全部のまれてしまうぞ

どうもどうも
ひいいっ

酒屋さがしてたもんでねおそくなっちまって！
そ…そうですか

これうちの部長からよろしくと！
上棟祝い
ワンカップ

うちの部長しみったれでね金　少ししかくれないからそれしか買えなくて
い…いやあ…ごていねいにすみませんね……

今日はちょっと人数がいっぱいなものでねこれで失礼します
いやかまわんよわしは…

建前はまだなのかい？
ドキッ

さっきおわったところなんですよ残念でしたね
そりゃないよあれが楽しみできたんだ

もう一度やろう！なっ
正気ですか……
建前おわったらすぐ帰るよ
本当ですね！帰りますね！

えっ建前をもう一度やるんすか
!?
たのむよ形だけでいいから少しだけ！
せっかくたべようと思ってたのに！

それでは
山本家の
新居を　祝って
建前を
始めます
いいぞ
やれーっ!!

それっ

うおおおーっ
どけどけ!!

やった
現金だ!
現金!

それーっ
!
おっ
今度は
あっちだ

どけどけい! みんな とるなっ
ドドドドド

くそっ モチか! 現金の方が いいのに
……

うおっ やったあ生の 100円玉だ!

ガシ

だれだっ こんなところに 柱たてやがったのは! いてて…
建築中の 家だよ 柱だらけは あたり前だよ
ド

両さんのところ 中心に まいてくれ 家が こわされて しまう
は… はあ

うおおおーっ
どういうわけか
わしのところ
ばっかり
ふってくるぞ

みなさん
どうも
もう 席に
ついて
けっこうです

おや
みんな
いなくなっちまった

ガヤ ガヤ
そうか！
祝い料理の
時間か
なるほど

ちょいと
ごめんよ！
席あけて
くれ

両さん
建前
おわったら
帰ると
いったろ！
そうだっけ
記憶に
ないなあ

まあ いいじゃないか 今日は めでたい日 だから
主人 ケチケチ するなよ
しらん ぞー―っ
こりゃ 悪いね
トク トク
どんどん やってくれよ はははは

酒 足りる かな……
いくら 人数多いたって 2斗あれば 十分ですよ ダンナ
ガボ
ちょいと ごめんよ 酒もらいに きた
はい どうぞ
こっちを もらう めんどう だからな

みろ! 並みの人間とは ケタが ちがうんだよ あの人は!
小さい体で どこに あれだけの酒 はいるんですかね

わははは
世の中で
タダ酒ほど
うまい物は
ないよ!
なあ 棟梁
ははは
まったくだ!

棟梁
明日の仕事に
さしつかえる
ので 帰り
ましょう…
なに!

せっかく
のみごたえの
ある男と
のんでるんだ
邪魔するなっ
そうそう
あんたたち
先 帰って
ねてなさい

山本家の
七回忌を
祝って
かんぱーい
おう
かんぱーい
ゴッ

弱ったな
棟梁
よっぱらうと
なにするか
わからないん
ですよ
そんな
無責任な
なんとか
してくれよ

ゴクゴク
ゴクゴク
みてる方が気分悪くなってきた…
だいたいこの家は柱が多すぎる！さっきもここあたった
そうか
それはいかん少しへらそう
ギーコ
ギーコ
そうこの柱悪いやつだ
ぎゃあーっなにするんだっ
まあ まあ家のことは大工さんにまかせなさい
まかせてられるか！
やめてください棟梁！
なにっ
うるさいおまえらはひっこんでろ
うわっ
おいおい乱暴はよくないぞ
なんだと！

文句いうやつは許さん！
やりやがったなちくしょう！
やめてくれ家がこわれる
でやあ——っ
ガラガラ
うおっ
うわっくずれるゥ!!

★週刊少年ジャンプ1982年30号

仲よし旅行の巻

たのしい
サラキン
ローン

今日は組長から大切な話が ある心して聞くように

では組長どうぞ!

なんであるアイデアル
ガラ

し〜〜ん

みんな拍手(はくしゅ)拍手
わはは
パチパチ
パチ
ワ!
パチ パチ
パチ

今のギャグは
ちょいと
ハイブローで
通じにく
かったが…
つまり何を
いいたいかと
いうと…

みなさんで
温泉へ
いきましょう
えっ
温泉！

群馬県に 肌が
美しくなる
温泉がある
イレズミに
よく 効き
色が鮮やかに
でるらしい
そこへ
いきましょう

温泉
だとさ
相かわらず
話に
脈絡がない

えっ
温泉に
いくんです
か!?
わっ

群馬県に
いい温泉がある
秋の旅行は
そこに きめた
温泉ですかァ
なんか 年寄り
くさいんじゃ
ないすか?

私としては
温泉なんかより
アメリカの
ラスベガスあたり
で派手に!
そんなに
予算が
あるか!!

あーあ
一流企業に
いれば
優雅な
秋の旅行が
できたのに
公務員てのは
貧しいな
まったく

カタログには
若い女の人も
温泉に
はいってるわよ
ほら
チョロQ温泉
それは
客を つる
ためのエサ
じっさいは
ババアばかし
!
テニスコートも
できたん
ですって!
秋には
女子大の
テニス部
合宿など
多くみられ…
ピク

部長―――っ
温泉いいですねっ
ぜひ いきましょう
コロコロ
かわる
やつだ!

↑群馬県

もーっ
いくつ 寝ると
給料日
給料日には
酒 買って
馬券も買って
遊びましょ
ブロロロ…

早く
こいこい
給料日
おい
あまり
さわぐんじゃ
ない!

部長 今日は 無礼講じゃ ないすか！
うーむ そうか

あと どのくらいで つくんだ
30分 くらい でしょう

グロロロロロ
おっ となりに ずいぶん 派手な車が いるな

あっ あいつは！

アニキ となりに 警官の車が いますぜ
なーに いき先まで 同じはずが ねえよ

ブロロロロ…

いらっしゃいませ!
the Ryokan in
山田旅館

すげえ旅館だなどういう趣味をしてるんだ
旅館とは思えない

おまえら何しにきたんだ!やくざはサウナの方が似あうぞ!
よけいなお世話だほっとけ!

あっ
あっ

何してるの
早く
こないと
迷子に
なるわよ
わかった
わかった
カラーン
カラーン

よりによって
同じ
旅館とは!
部屋が
離れていれば
会うことも
ないだろう

どうぞ
こちら
です

ここの
つきあたり
です
どうぞ

この
桜の間
です
さくら
あっ
あっ
こちらの
藤の間
です

どうした
しりあい
か?
まあ
仕事上
会う機会が
多いすね
警官と
隣同士とは
何事だ!!
そこまで
調べが
つきません
で………

なにっ 隣にいるのはやくざたちだと!
そうなんすよ 高速からずっといっしょでしてね

部長 今日はプライベートですからね
わかっておる

おい 両津 フロへはいろうぜ
フロよりテニスギャルみたい

そんなものあとで十分みりゃいいだろ
わかったわかった

おい 寺井もこい!
あっ
グッ

大浴場

ズイーッ

おら おら
民間人フロからでろ!
御所河原大五郎親分のおはいりだ

親分どうぞ
うむ

あつい!

ばかやろう!

さっぱり意味がわからねえ……
ま親分がそうおっしゃるなら……

そしてなんと！
おなかにはサリーちゃんとよしこちゃん
グルルッ

さらに足の裏に
なつかしのゲゲゲの鬼太郎
バシャ

す…すばらしい！
おい拍手拍手
さすが組長！
がっははかんらからから
パチ
パチ
ペチ

むっ
また一句できた

たわむれに母におぶさりコブラツイスト
し〜〜ん
アルプスの少女！

てめえら拍手はどうした
す…すばらしい！
さすが！

ずいぶん湯殿がもりあがってるな宴会でもやってるのかな
それじゃ先へえってくるぜ

ザラ
ザ
す…すげえ
イレズミ
だ!
上州の
本場の
やくざ者だ
ちょいと
ごめんよ
はい
どうも
いえ
ええ!!
うわっ
ガ
ガ
いてっ!
ドガッ
ザバシャ
どっか
あーん!
ダ

何しやがんだ てめえ!
そっちこそ よけろ バカ!

どうか したのか 両津!
こいつ いいがかり つけるんだ

どうも 失礼 しやした
組長 もう でま しょう

あいつも 警官 だったのか!?
世の中 かわった のう 政

魚のあげ物 キンピラ ゴボウに 玉子焼き
まるで 呉服問屋の でっちなみだ

それにひきかえ
ヤクザの方は
芸者よんで
派手に
やってるのに
がははは
わはははは
むこうは
むこうだ!
気にするな

せめて
芸者くらい
よんで
くださいよ
高い!
予算が　ない
じゃ
ヤクザと
いっしょに
宴会を…
バカいうん
じゃない!

じゃあ
戸塚
こうしろ
ぼそぼそ…
えっ
なんで
オレが
そんな事を

おまえが
やれば
いいだろ
しかし
おまえの
方が　迫力が
ある
おいこら
そこで　何を
相談している
!?

いや
べつに…
そのねー
ちょっと
用たし
に!

両ちゃん
おちつきが
ないわね
仕事以外は
動きが
生き生き
してるよ

へい
どうも
おまたせ
なんだ
ふところに
かくしてる
やつは!?
ズキ!
隣から
一膳もらって
きまして…
なに!
くわっ
きさま
やくざから
たべ物を
もらうとは
何事だ!
く…
くるしい
死ぬ!
ぐぐっ…
だって
むこうのが
いい物
たべてるよ
鯛も
あったし!
ばかもの
恥を しれ
恥を!
こうなりゃ
酒を
じゃんじゃん
のまそう
え?

部長 もう 一本 かわいい 部下の たのみ!
も もう だめだ ねむく…

ねむく なってき…
ドタ
ガチャ
ぶっ ちょくっ

やった!
ついに 鬼を 成敗した!

よし みんな 隣にいこう 仲間にいれて もらおうぜ!
えっ 本気 ですか!
まずいよ 両さん!

こんなチャンス あるか! 料理最高! 美人芸者 3人も いるんだぞ!
しかし 警官 という 立場が……

人類みな兄弟 職業に こだわっちゃ いかん みんな 仲間だ!
兄弟と いっても 相手はヤクザ

ふん ケツの穴の小さいやろうだ!
おい 戸塚は!
もちろん いくぜ!
みなさんはまずしくでっち料理をたべてなさい
バイちゃ
もう しらないよ
みっなさ〜ん
警視庁から慰問にやってまいりました!
今宵 上州の夜をお互いにたのしみましょう
私! 葛飾署の宴会部長 両津が仲間をひっさげよきょうにやってまいりました!
何事だ 政……
さあ…
さて 最初にお目にかけるのが両津巡査長十八番!

★週刊少年ジャンプ1982年43号

ニッポンの心の巻

ピッ
さっきから真剣に何やってるのかな……
ピッ
ピッ
オセロのコンピューターと勝負してるみたいよ
どうだ機械め！

あっ
ピッ
ピッ
ピッ
ピッ
全部白にしちまいやがったきったねえ！

このやろう人間さまをなめやがって！
うわっ

ズギュ
ズギュ
態度でかいぞ！きさま!!
ズギュ
ズギュ
先輩どうしたんですいったい？
もいもい

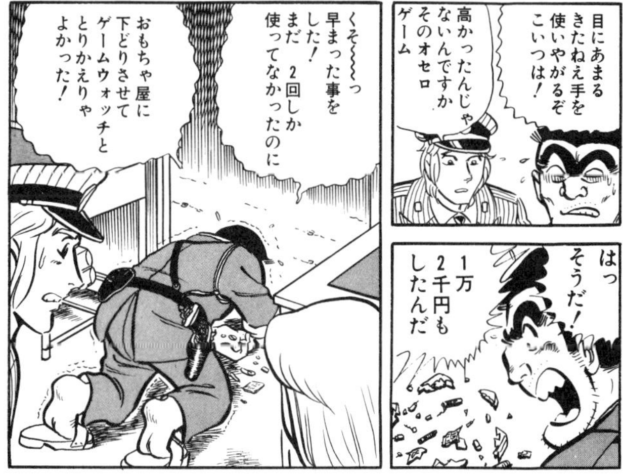
目にあまるきたねえ手を使いやがるぞこいつは！
高かったんじゃないんですかそのオセロゲーム
くそ〜〜っ早まった事をした！まだ2回しか使ってなかったのに
おもちゃ屋に下どりさせてゲームウォッチととりかえりゃよかった！
はっそうだ！
1万2千円もしたんだ

中川！なぜ撃つ前に止めなかったんだこいつ！
止める間がないですよあの早わざでは！

保証書がある！新品ととりかえてもらえないかな？
そこまでこわしちゃ無理よ

いや話しあえばなんとかなる！人間あきらめちゃいかん！
本気でいくんですか？

おもちゃ
亀有きでいらんど
未来ロボット
赤胴鈴之助セット新発
TVゲーム
どこでも自動車
かるた

こ…これはなんですか？
きのう買ったオセロゲームじゃないか

ちょっと故障しちゃってな保証期間中だろ！別なのとかえてくれ
ムチャいわないでくださいよ無理ですよ

そこを
なんとか
話しあいで
たのむよ
チャリ

すごい
最新のゲーム
2台もくれた
あの主人は
じつに
いい人だな
未来カーゲーム

おや
本田じゃ
ないか

どうした
んだ
こんな
ところで
……
あっ
パンク
なんですよ

おまえの
バイクも
一人前に
パンクする
のか?
あたり前だよ
全部 ゴムが
つまってる
わけじゃ
あるまいし!

仕方ない
バイク屋まで
おして
歩くか
よし
わしも
手伝う

KAWASAKI
カワサキ特約店
本田輪業
(603) 241
ラビット ツーリング 125cc

もうひと息だがんばれ!
自分は乗っていていい気なものだよ
キー
キー

おやここは本田の家じゃないか
カワサキ特約店
自分でなおしたいからね

なんだ速人なにしにきた?

パンク
しちゃってね
道具
借りるよ
ホンダなんかに
乗るから
パンクするんだ

カワサキに
乗りかえたら
どうだ?
ZIIを
白バイに
改造してやるぞ
いいよ
これで!

それにしても
相かわらず
古いのが
多いな
ここは……
KAWA

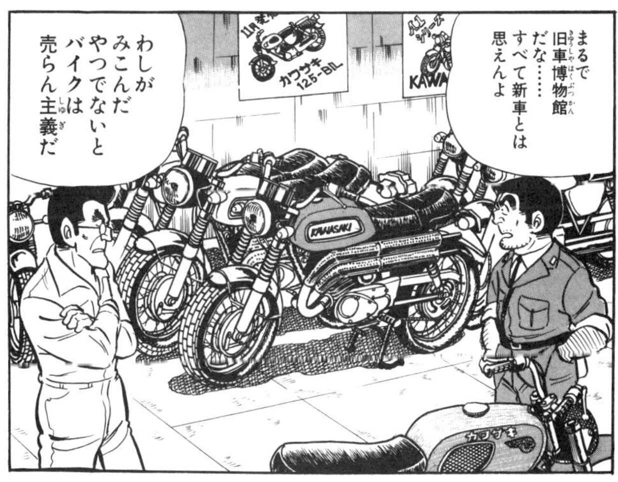
まるで
旧車博物館
だな……
すべて新車とは
思えんよ
わしが
みこんだ
やつでないと
バイクは
売らん主義だ
カワサキ
125-BIL
KAWASAKI

今年になって
マッハIII 1台
SS350 1台
W1S1台
計3台売れた
それでよく
商売が
成りたつよ

父さんも
カスタム
パーツ
作りなよ
今 ブームで
すごいよ
わかっとる
すでに
製作して
るよ
KAWASAKI
KM 90

えっ
本当
こい!
みせて
やる
MOTOR CYCLIST

ヨーロピアンだの
アメリカンだの
メーカーで
いろいろだすが
ここは 日本だ
ジャパン
スタイルが
一番
日本にあう

わしが 開発し
部品を つけた
バイクだ
名づけて
「日本」
日●本
昔 あった
カラーテレビ
みたいな
名前だな

なんだ
このタンク
セトモノじゃ
ないのか?
さよう
清水焼の
タンクだ
いい色してる
だろ

おっかねえ
コケたら
火だるまに
なっちまうぞ
!
絶対
倒さない
人間だけが
乗るのだ!

おそろいの
清水焼の
ヘルメットも
ある
それも
あぶなくて
コケられ
ないな

さらに
このシートに
豪華
西陣織だ
ブッ

フレームや
サスペンションは「竹」を
使用している
じつに
日本的
だろ

マフラーは
茶筒と
一升ビンで
作ってある
この音が
なんとも
いえん

ハンドルは
木製!
カーブの
美しい
松の木だ
ライトは
昔 なつかしい
親子電燈
小さいのが
フォグランプ
万国びっくり
ショーに
だした方が
いいな こりゃ
A-1 サムライ
カワサキ

すでにこのパーツは売れている
世にもおそろしい話だ……

こんなふうにかっこいいバイクじゃないと売れないよ
ばかものっ
VT250R

単車は外見で判断しちゃいけねえ！
本物の単車乗りは単車でなく腕で勝負するもんだ

オレが浅間レースにいった時は浅間山が熱く燃えたぜ

レースにでたのか？
選手のサインもらいにいっただけ見物客

おっあの音はマッハIII！

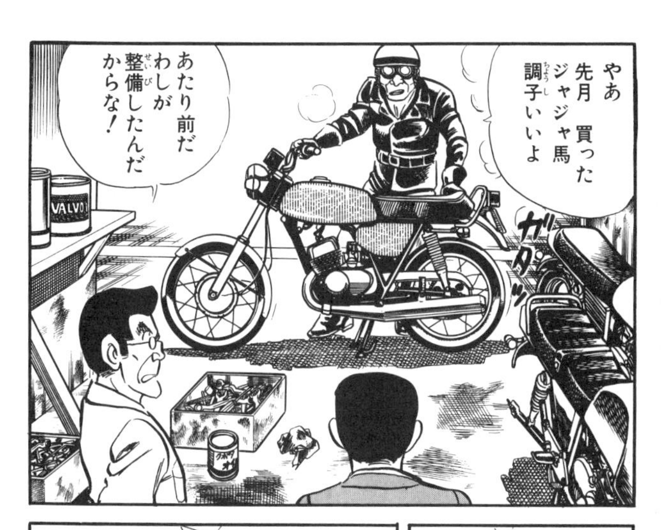
やあ
先月 買った
ジャジャ馬
調子いいよ
ガタッ
あたり前だ
わしが
整備したんだ
からな!
VALVO

これが
恐怖の
清水焼の
タンクか
いや
これは
有田焼だ
この
渋い赤
有田焼で
なけりゃ
でない色だ
たしかに
アダルト
ライダー
むけだな
われわれ
熟年ライダーは
すべてが
本物志向で
なければ
いけない
ハーレー
BMWなどの
ブランドより
単車は やはり
日本製が
一番いい!
KE 12

この人は大学教授で金山教授今年で61歳
なんとそんな年とは思えん!

物事にハラを たてずおだやかな心をもつ事です
さらに好きな道楽を楽しむこれですよ

どうです私といっしょに奥多摩へツーリングにいきませんか?
いや!今 バイクパンク中なので直さないと……
KAWASAKI

パンクはわしが やっておいてやるいっしょに走ってこい
えっいいのかい?
250-A1SS KAWASAKI

ヴバオオオッ

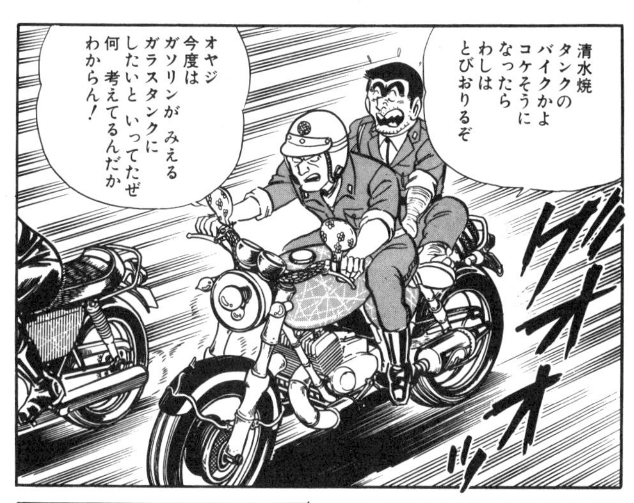
清水焼
タンクの
バイクかよ
コケそうに
なったら
わしは
とびおりるぞ
オヤジ
今度は
ガソリンが みえる
ガラスタンクに
したいと いってたぜ
何 考えてるんだか
わからん！
グオオオッ

単車は
じつに
いいねえ
心が
清らかに
なりますよ

ワイ

むっ
クァァァッ

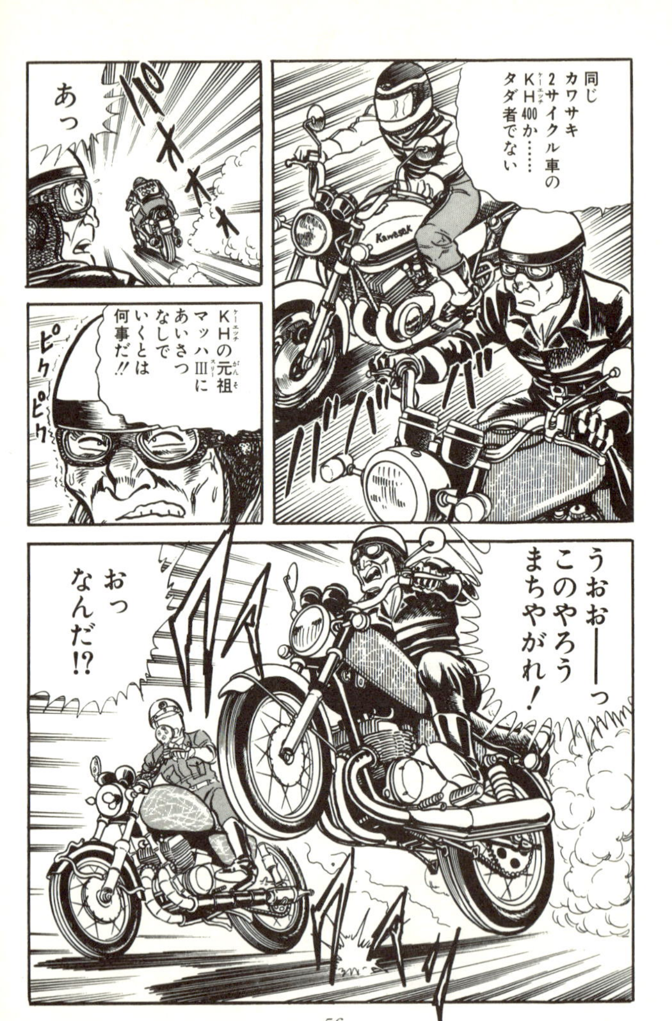
同じ
カワサキ
2サイクル車の
KH400か……
タダ者でない
パ
ォ
ォ
ォ
あっ
KHの元祖
マッハⅢに
あいさつ
なしで
いくとは
何事だ!!
ピク
ピク
うおお――っ
このやろう
まちやがれ!
おっ
なんだ!?

すげえ
あれが
「おだやかな心」を
持つ大学教授の
姿かよ

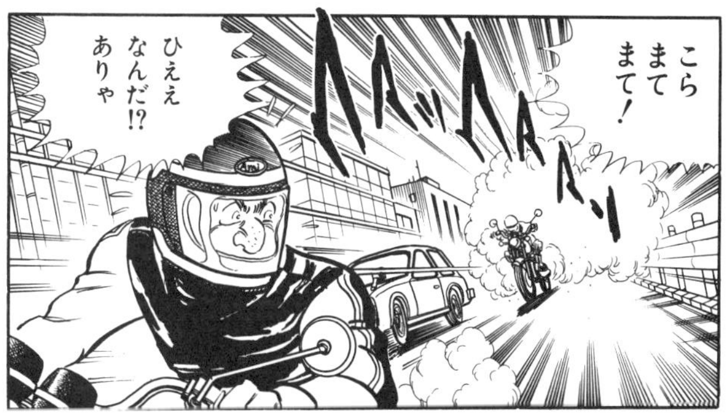
こら
まて
まて！
ひええ
なんだ!?
ありゃ

山うば・・
みたいだ
つかまったら
殺される！

またんか
こやつ！

教授さんよ あまり 飛ばしすぎると 血圧が あがるぞ!
なんの これしき ほんの 200キロ!

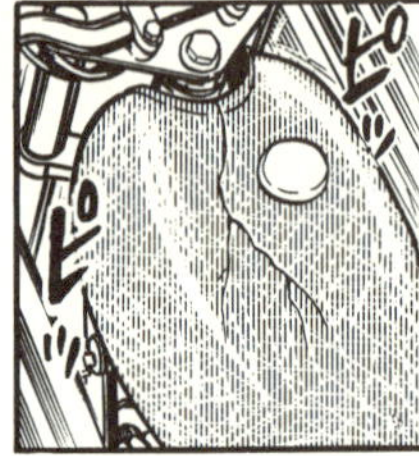

うおっ 有田焼の タンクに ヒビが!!

ガ ガソリンが もれて きた!

いかん もちこたえろ!

ぐおっ 前から 車が!

ガギギッ
気を つけろ
バカ!
ブオーッ
グオオオッ

すごい
歯でハンドルを
切ったぞ!
さすが
大学教授!
やることが
ちがう!
ぐぐっ
入れ歯が
はずれる

なんの
足で!
ゴキッ

ぐわっ
骨が!
骨が!
ギギーッ

ぎゃあ——っ
ザッ
ザバシャッ

川にバイクごと飛びこんじまったぞ!
熟年ライダーの行動は不可解だ

KAWASAKI
カワサキ特約店
(603)241
ラビットツーリング 125cc
KAWASAKI
75

2サイクル車は振動が多すぎてセトモノタンクじゃ無理だよ
うむそうか…
カワサキ

こりゃ
あぶねえよ
火炎ビン
みたいな
もんだからな
買う方も
買う方
だね

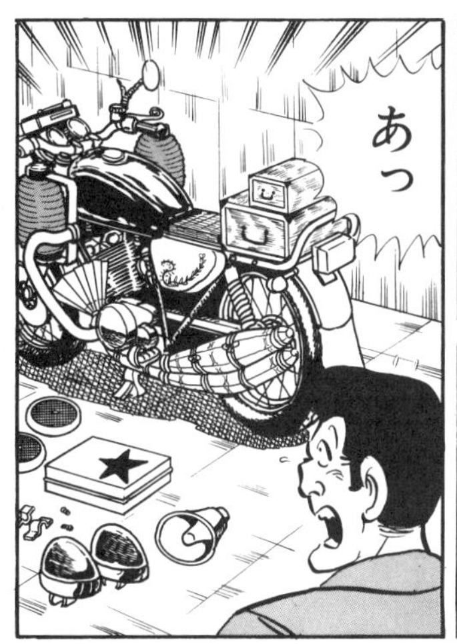
あっ

ところで
ぼくの
バイクは…
ちゃんと
直して
おいたぞ

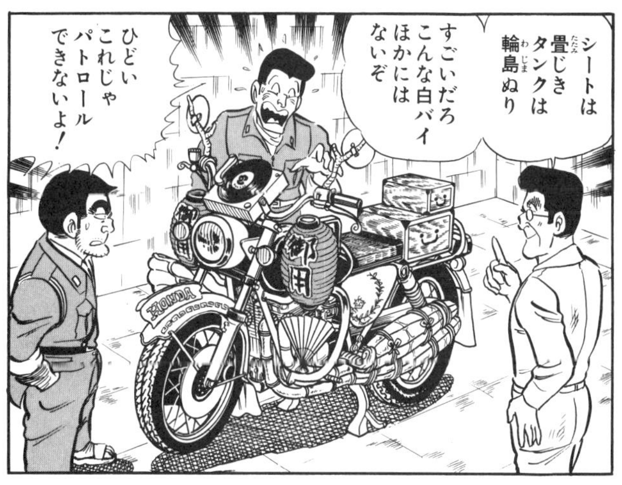
シートは
畳じき
タンクは
輪島ぬり
すごいだろ
こんな白バイ
ほかにはは
ないぞ
ひどい
これじゃ
パトロール
できないよ！
HONDA

★週刊少年ジャンプ1982年46号

金は天下の…の巻

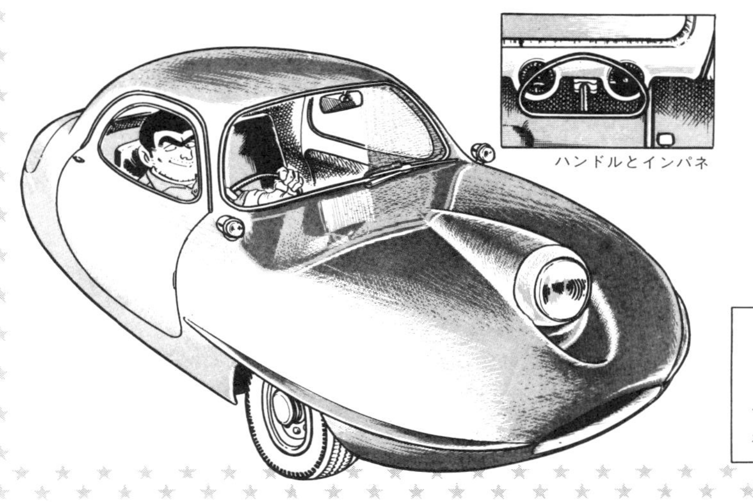

ハンドルとインパネ

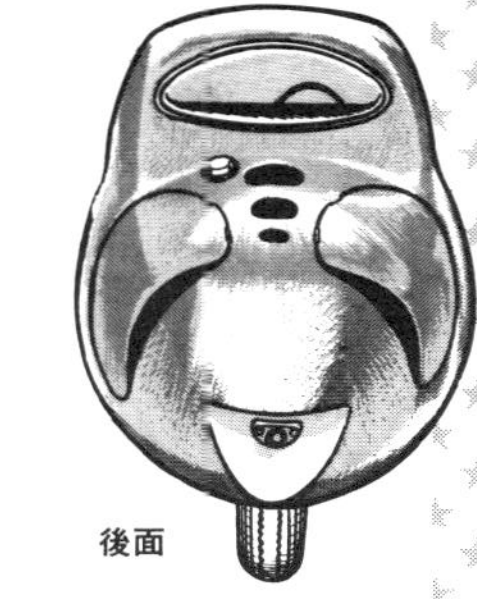

後面

フジ　キャビン
2ストローク　空冷
125c.c.　5.5馬力
チェーン駆動
ボディはプラスチック製

BMW RACING SCENE
BMW

なんだとっ道路で男が寝てるだと？
そうなんですよちょっときてください

日光浴でもしてるんじゃないのか心配いらんだろう

そんな無責任な！

とにかくきてくださいよ！
わかったわかった！

なるほど日光浴にしちゃサンオイルをぬったようすがない……
いきだおれみたいですよこの老人…

むっ！この男すでに死んで……
えっ!!

…いないなしっかり息をしておる
まったくもう～～！

とりあえず派出所へ運ぼうおい手伝え！
はい

なんでわたしが背負うのですか？
老人の場合は民間人の協力が必要だ

どうだ少しはおちついたか？
おかげさまでだいぶ楽になりました……

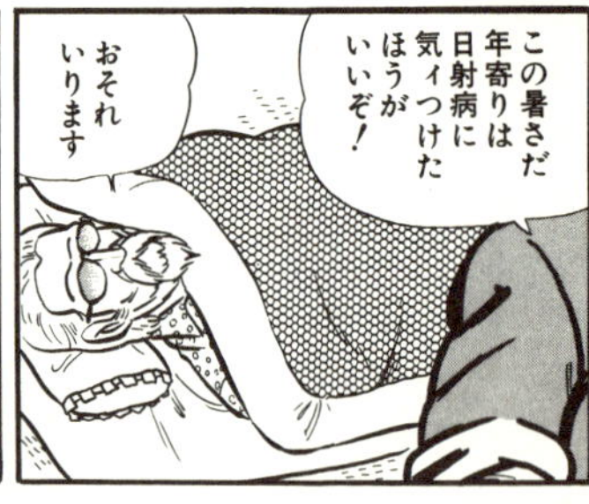
この暑さだ年寄りは日射病に気ィつけたほうがいいぞ！
おそれいります

おやあんた絵をかいてるのか？
はい

年寄りの道楽ですよお巡りさん
どれみてやる！

うーむなにがなんだかさっぱりわからん

それにしても
ひどい絵だね
わしより
ヘタだ
これは
どうも…

今度
絵を 教えて
やるよ
あんたは
基本から
やり直した
方が いい
恐縮
ですな
ぜひ……

そんなわけで
そのおじいさん
家まで送り
とどけて
びっくり!

すげえ
でかい家に
住んでるんだよ
それも
ひとりで!
わしと
気が あってな
非番の日には
絵を 教えに
いってるんだよ
どうですか
絵の
方は…?

かわいそう
だが
あのじいさん
才能が
ないね!
なにせ
わけの
わからん
絵ばかり
かく!

みろよ
これ 先週
わしにくれた
絵だけど
な……

これがわしの顔だと…どこが似てるんだ!

そのタッチ…みおぼえありますね

えっ?

おい!両津はいるか!!
ダ!!
なんすか部長血相かえて…

いえっいったいなにやったんだ!
ユサ
ユサ
なんのことですいったい!?

弁護士がおまえを訪ねて署まできたぞ結婚サギでもしたのか!?きさま!
バカな!なんでわたしがそんな真似を!

まあ部長さんおちついて!
その件ではございませんので……ご安心ください……
そうですか…

あなたが両津勘吉さまですね まちがいありませんね
ああ そうだよ

じつは昨日 画家の岡本元三朗先生が亡くなられたのです……
え!? あのじいさんが!!

両津 おまえ まさか…
しらないよ! なんでそんな目でみるんだよっ

先生は 身よりがなく…亡くなる前お世話になったあのお巡りさんに自分の遺産をわたしてくれと私に いいのこしたのです……
これが その遺言状です

そんな物いらんよ わしは ただ絵を 教えてやっただけだし……
しかし受け取り人があなたになっていますので…

遺産だってどうせ田んぼぐらいだろ!
いや推定でこのくらい…

2万円かよ 別にいいよ…
いや もっと もっと 上!

ひょっとして200万円…くらいですか?
いやもっとです

だいたい200億くらいはありますね
げっ200億だって
!

岡本元三朗さんというと……パリに永住していた世界的に有名なあの画家ですか?
さよう晩年は生まれ育った葛飾ですごされていたのです
に…にひゃくおくえん
部長どうかしたんですか?

先生は天気のよい日によく　スケッチにいかれました
さみしがり屋でしたので外出が　大変好きな方でした
芸術家は孤独ですからね…

中川200億円というと10万円のなん倍だ?
20万倍ですよ

200億だからえーと3億円犯人が67人くらい集まれば…
ケタが多すぎてピンとこないようだ

とりあえず先生の遺言通り現金で100億円ご用意しましたので…
残りは手続きがありますので後日……
なんとこれが現金100億円か!

う〜〜むひゃくおくげん…き…ん…
部長しっかりしてください!

ですからこの遺産を両津さんの思った通り全部使い切ってくださいと遺言状にも…
よしわかった!!

先生は両津さまの自由ほん放な生き方がうらやましい…
両津さまとしりあって本当に楽しかったとおっしゃっておりました

使う事なら まかせろ! じいさんの 遺志を 受けついで やる!
え!?

部長——っ こういう時こそ 定期預金を させてください よっ!
だめだな こりゃ

一日 一億円 使っても 3か月以上 かかるのか
こりゃ 気を入れて 使わなきゃ いかんぞ
よしっ いって くる!
いって らっしゃい!

ヘイ タックシー!!

ひええーっ 100万円!?
行動が 素早い! さすがだな

この交番ですかっ
200億のシンデレラ中年がいるのは!
朝夜新聞ですぜひっインタビューを!
ドドドド
マスコミも負けずに早い……

今お金を持ってタクシーででかけましたよ
えったった今……
しまった一歩遅かったか!

急げまだ遠くへはいってないはずだ!
社に連絡してヘリを出動させろ

このまま気絶させといた方がよさそうだ……
ショック死するかもしれないよ

世界的に有名な画家の遺産を相続した警察官のその後のニュースです
現在後楽園球場を全席買いとりひとりで野球観戦しています
気味悪いほど静まった野球です
うま!!
やれ!!
川上うてー
選手たちもじつにやりにくそう!

今日一日で約2億は使ったと思われます!
MHKではこのシンデレラ警官の行動を追ってレポートしていく予定です
うぬ……なんてことを……
中川! 両津を逮捕するんだ!
えっ!?

あいつは
金を 捨てる
ようなものだ
つかまえて
監禁しろ!
しかし
つかまえると
いっても……
別件でも
なんでも
いい!
一秒でも早く
つかまえる
んだ!
は…
はい!
おはよう
ございます
8時の
ニュースです
MHK
時の人と
なりました
シンデレラ
警官のニュース
からです
新しい
情報に
よりますと
自分の
寮の前に
私鉄路線駅の
工事を
しているとの
ことです
なんでも
朝 自転車で
かようのが めんどう
ということが
理由のようです
両津駅

はい
こちら
レポーターの
渡辺です
これから
両津巡査長に
インタビュー
してみたいと
思います
両津駅
りょうつえき

ゆうべは
徹夜で
新宿で飲んだ
そうですが
どうでしたか?
ナイターのあと
200人ほど
つれて飲みましてね
ざっと 3千万円ほど
使いましたか……

す…すごい
ですねえ
今日の
予定は…?

そうねえ
クイーン
エリザベスII号
を借り切ろうと
思ってる

隅田川で
川下りを
やるんだよ
花火みながら
酒飲んで
ぶあーっと
はでに!
エリザベス
女王も
おどろく
でしょうね…
はっはは…

ありゃ
なんだ
パ
パ
パ
パ

先輩！部長命令で逮捕します
なにっくそう！
ダダ

おい出番だっ
へい！

あっまて！
うおっ
こんなこともあろうかとガードマンを用意しといたんだ！わはは！
ダッ

おい！すぐ車をだせ！
はっ
バタン

つかまって取られるなら全部大好きな競馬で使ってやるぞ!
中山競馬場だ
はっ

ワ ワ

2—6これだけ!!
ドサッ

ものすごい使い方ですアラブの成金か小学生なみです
しつこいなあ…マスコミはは!
パシャ
パシャ

今日競馬でなん億くらい使う気ですか!?
うるさいなーっ全部だ全部!
馬と心中できりゃ本望だよ!
おそろしい!殺気立っています!

両津がつかまったか!?

はあ…
競馬場でつかまえましたが…

逆にあたって元よりも増えてしまい130億ほどに…
な
なんと!元がでかいだけにすごいな

両津この金 全部寄付しろ!
アホな!なんで寄付なんか!!

そのかわりおまえのほしがっていた500円玉をやるいいな!
やだよ今さらそんな物ゴミ同様

いうことをきかんか!いう通りにしろ!
ふ…ふあい

みなさんお聞きの通りかれは 全額寄付すると申してます
すごい!
こりゃ またトップニュースだ!

ぜひ両津基金と名づけましょう
いや あいつの名前はよしましょうけがれます
つけるなら岡本元三朗基金とでも…
ザヤ ザヤ

やっぱりやだ!金 全部使う!
あっ

日本中あらゆる所で使い切ってみせるぞーっ!
またにげたぞカメラでおえっ
そんな真似はさせんからな!

★週刊少年ジャンプ1982年36号

リサイクリング！の巻

サイクリング サイクリング ヤッホーッ ヤッホーッ
交通安全週間

よし! 快調 完成だ
おやっ 両津が 派出所に きているぞ?
今日は 非番のはず なんですけどね

おい 両津
なにしてるんだ
今日は
休みだろう?
あっ
部長!

場外馬券
買いにいく
ついでにね…
先週
こわれた
自転車を
なおしに
きたんですよ……

あんな
メチャクチャに
なった物
なおせたのか
?
あっしは
その道のプロ
こんなもん
朝メシ前
ですよ

自転車つきあい
30余年!
中学のころは
自分で自転車
つくってた
くらいです
からね
ほう
たいした
ものだ

そういえば
署にもいらない
自転車が
たくさんあったぞ

えっ
本当?
もらえるの
そう思う
しかし
こわれてるのが
ほとんどだ

そんなもん
あっしの手に
かかりゃ
一発で
なおしちゃう

物を 大切にし
リサイクル
するのは
いいことだ
署へ
いってみろ
やった!
タダで
もらえるぞ

愛車の
試乗を
かねて
いってき
まーす
おい
ちょっと
まて!

休日にまで
制服で
ウロチョロ
するな
私服に
着がえろよ
あっ
はい はい

先輩は
ああいうことは
器用ですね
わしも
安心したよ
懲戒免職に
なっても
自転車屋に
つとめられるからな

今月のおすすめバイク用品
バイク用 レーダー探知器

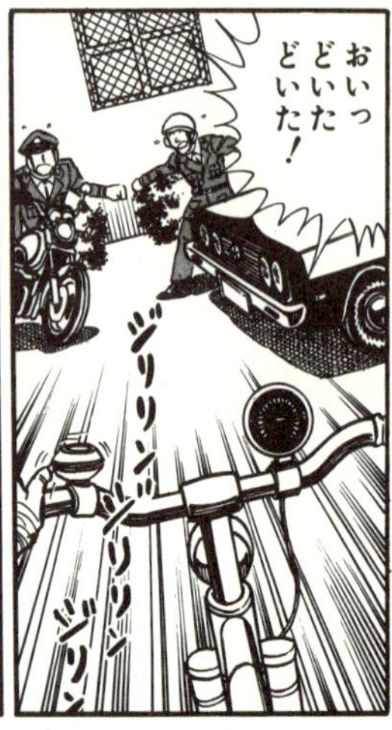
おいっ どいた どいた!
ジリリン
ジリリン
ジリン

時速50キロで急停止!!

やはりスピードメーターつけたほうが走りがいがあるな
ゼロヨン24秒の俊足だ!

あったこの自転車だな!

おいおじさんこの自転車もらっていいか?
え…それかい?

いいよ
引きとり手のない
放置自転車
ばかりさ
来週 解体屋に
もっていってもらう
やつだから
自転車
おき場
よし
えんりょなく
もらうぞ

そんな
こわれたもの
どうする気
だね
なおして
また 売る！

新興住宅には
今や必需品だ
安くすりゃ
大量に売れる
無理だと
思うがね
ガチャ

派出所

なんだ
こりゃあ
!!

これから一台ずつ再生していくんです…ここで
部屋の中でやる気か!?おまえ!

物を 大事に使うのはいいことだといったのは部長でしょ
うーむしかし部屋というのは

関係者以外の立ち入りを禁止します!!

さっきからリヤカーで運んでいたのはなんです?
自転車だ! 奥の部屋を占領されてしまったよ

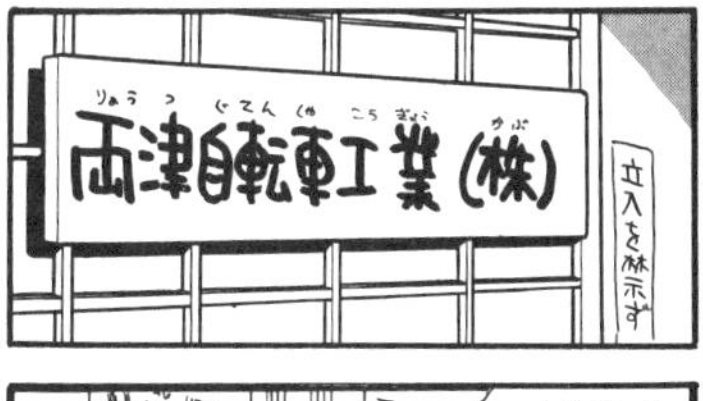
りょうつじてんしゃこうぎょうかぶ
両津自転車工業(株)
立入を禁ず

ターボ車は絵に描いたもち

ふう
これで
12台目か…

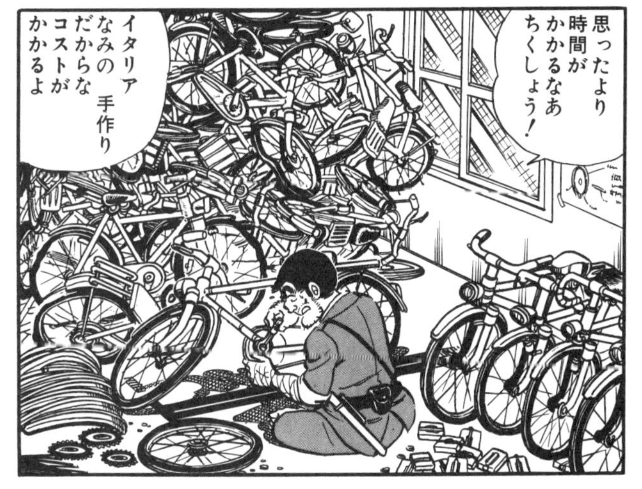
思ったより
時間が
かかるなあ
ちくしょう!
イタリア
なみの 手作り
だからな
コストが
かかるよ

先輩
ブリヂストンから注文のタイヤが届いてますよ
あっ

仕事中勝手にあけるな!!

かなりつかれているようですよ
夜中もやってるからな まるでがんくつ王だな
火の用心

メッキ代が3万円
タイヤやブレーキのゴムサドルなどで5万………
うーむ
ここまで金かけたらあとへはひけんな
この製作ペースだと…一台5千円以上で売らんと赤字だな

くそ~~~っ
このネジじゃあわんじゃないか!

めんどくせえやめた!

この商売は
わりに
あわん!
行商の
手間も
考えると
そんだ!

まてよ
貸し自転車
という手も
あるな…
軽井沢あたりで
一台 千円で
貸して…
百台あれば
ひと夏で……
千円×百台×60日×1日に3人
=
1800万円

よしっ
これは
いけるぞ!!
がんばって
やろう!
ガバ

あっ

すごいペースだな
ひと晩でこんなに作ったのか?
まるでオートメーションみたいですね

きのうも水のみに来た時うわ言で金…金…といってましたよ
あいつめ売る気かまったく!

うっ
ぬっ

グリースとサンドペーパーを…ぶつぶつ買わないと…ぶつぶつ……
ふら～

まるで夢遊病者だな不気味な顔して……
もう3日ぐらいねてないようよ

心配で ゆうべ 夜食もって きたのに 全然たべて ないの
本気で やりだすと 体の限界まで やるからな あの男は……

部長 これを 売ると 味を しめて さらに続け ますよ
うーむ

あいつは 単細胞 だから 口で説得 しよう

ぎょっ

だれが…… 単気筒 なんですかァ〜 ぶちょう〜〜
あ いや 今 両津のことを ほめていたところ なんだよ じつは…

ゴミ同様の 自転車を 新品のごとく 再生して じつに えらい!
金の ためなら… なんでも します…… ははは……

ついでに この自転車を 少年たちに くばって あげようじゃ ないか……
えっ

タダじゃ…
やだよ…
これは
商品だから…
高く売る…
わかった！
じゃ
貸すだけに
しよう
それなら
いいだろう

そ…そうね
貸すなら
いいや……
きまった！
50年間 一台
一円で貸そう
よかったな
おまえ！

よーし
それじゃ 残りも
張り切って
つくろう…
よし！
がんばれ
よ！

あんなんで
納得しちゃっ
た…!?
体力に
すべてを
使っている
今や
思考力は
ゼロだ！

交通安全週

1週間
徹夜で労働して
百円か…うっう
大赤字だ…
ちょっと
あわれ
ですね……

お巡りさんから
もらった
自転車で
みんな土手で
あそんでる
んだよ
なにっ

おまえ!
それは
あげたんじゃ
なくて
一円で
貸し…
両津
いってみよう
な!

すごい
あつまってる
なあ……
天気が
いいからな
今日は…

お巡りさん
自転車
ありがとう
ありが
とう!

どうも 息子に自転車いただいたそうで…すみません!
あ…いやべつに…はは……

自転車をなおして あげるなんて 住民にじつにすばらしいお巡りさんだ今どき本当にねえ
ま…まあなんというかその………

くそ!タダであげたことになっちまったよ!

ドカ
ぐおっ!

気を つけろちゃんとブレーキかけろ!
ちゃんとかけたよ

ちがうスピードがついてとめる時は…

前よりうしろのほうを強目にブレーキかけ一輪ドリフトでピタリと止める!
ズザザ
うわっすごい!

そんなにすごいか？
うん

よしそれではわしの秘技を教えよう
早わざのU(ユー)ターンだ

これは柔道の一本ぜおいに似ている
よっくみとくように……

でえいわずか0・5秒の方向転換！
すごい！

さらに右！左！
自由自在まるで体の一部！
おおっ

さらに
高等技術の
押しがけ
のり!

スリム
ヒラヒラ
まさに
RS感覚
ビュッ
ビュッ

ふたたび
一輪ドリフト
による
直角カーブ
!
ズザッ
うわっ

交通戦争に
勝つためには
このような
フットワークが
必要だ!
わかるなっ
はい

日ごろの訓練
いかんによって
このような
ウルトラCも
可能である!
あいつは
サーカスにでも
はいったほうが
よさそうだ

ガッツ星人
ウルトラセブン

先輩
少年たちに
だいぶ 受けて
ましたね
まったく
あいつの
特技も
役に立つ
ものだな

いやあ
部長
どうも
どうしたんだ
その
スタイルは!?

今日から
この派出所を
サイクル教室として
かりますので
自転車置かせて
もらいますよ
両津式
サイクリング教室
あなたも1時間ですぐウイリーが出来る
1ヶ月 10,000円
本日開店
亀有公園前派出所
開店サービス
本日開店
おい
勝手に
教室にするな
ばかもの!

★週刊少年ジャンプ1982年25号

きた!!の巻

悪魔がやって

下に
派出所が
あったぞ!
よし
おりるぞ
!!
ゴゴゴゴ

外に
でていてよ
掃除のじゃま
だから!
わかったよ
うるせえな
まったく
のんびり
プラモも
つくれ
ねえよ!
HONDA
わっ

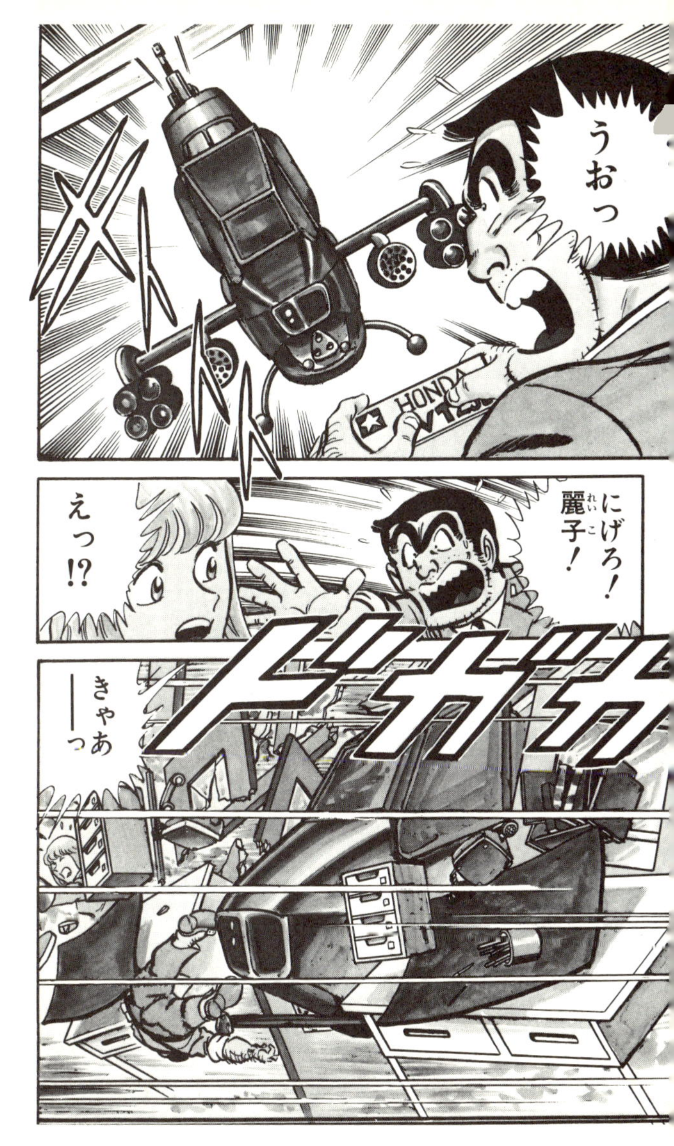
うおっ
HONDA
V12
にげろ! 麗子!
えっ!?
ドガガ
きゃあ——っ

キューン
キュン
キューン

何事だ!? 戦争か!

バタ

ん!? 日本人だ!

千葉演習場 どこに あるか わかりますかね?
しるかっ そんなもんっ

わからないってよ どうする
こまったな……
道に迷ったんじゃないの？ この人たち！
おまえら ひょっとして 迷子か？
はい 訓練中に 回避飛行 しすぎて 本隊から はぐれて しまいました

おーい このヘリ なんとか してくれ！
通れ ないぞ！

じゃまに なってるぞ とにかく どかせ！
はい わかり ました

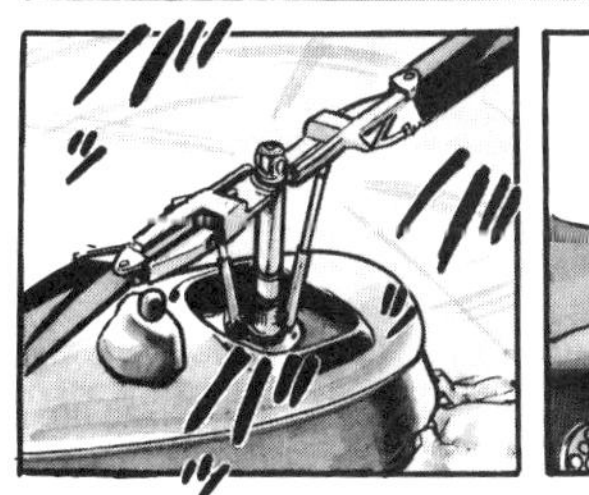

バババッ
ババッ

なんて
飛び方
するんだ
あいつら！
せっかく
お掃除した
ところなのに
もう！

すいません
道案内して
もらえま
せんか
ババッ
ババッ
うるせえ
勝手に
いけ！

あのまま とばしたら あぶないわよ 演習場は 部長の家の すぐ近くよ いっしょに いってあげて
ちぇっ めんどう くせえなあ

その なわバシゴで あがってきて ください!
わかった

両ちゃん ちょっと まって!
ん?

ついでに 署に よって この書類 渡して いって!
タクシーじゃ ないんだぞ まったく

あっ
こらっ まだ 早い!

ズズ
ズズ
ドドッ
おい
こいつ!
止まれ
このっ!!
ドドッ

コンコン
ん!?

ばかやろう!
わしは ボリショイ
大サーカスの
ブランコ乗りか!!
すいません
つい うっかり
忘れまして!

あっ
そうか!

そいつ忘れっぽいんですよ今日も集合場所を忘れてしまって
おそろしいパイロットだな
ババババッ
みえたあの警察署の前に止めてくれ
は…はい！
ちょっと操縦しにくいな前へいってくださいよ
ちぇっ
ちょっとごめんよ…
あっ

ヴァ
ヴィイィ
ララララ…
うわっ
きゃあ——っ

このバカ 機銃掃射しろと いつ いった
あなたが急におすからですよ!

何事だ いったい!?
わかりません!

うわっ
またきたぞ!
にげろ!!

ばかっ
止まるんだ
署長におこられるぞ!
操縦士にいってくださいよ

後部ですよ
後部!
くそっ
せまいな!

あっ
ゲイ

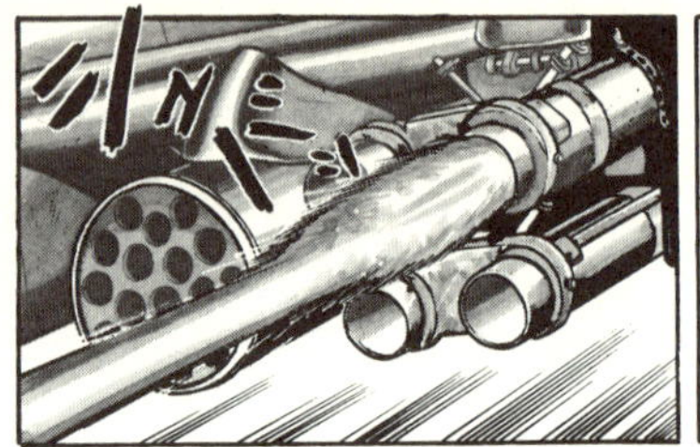

ぎゃあ——っ
にげろっ
ヒュルルルル

VTはRZを
ぬかない様に
警視庁
ドカァ

おまえの頭はプラスチックか署にミサイルをぶちこみやがって!
しらない私のせいじゃない!

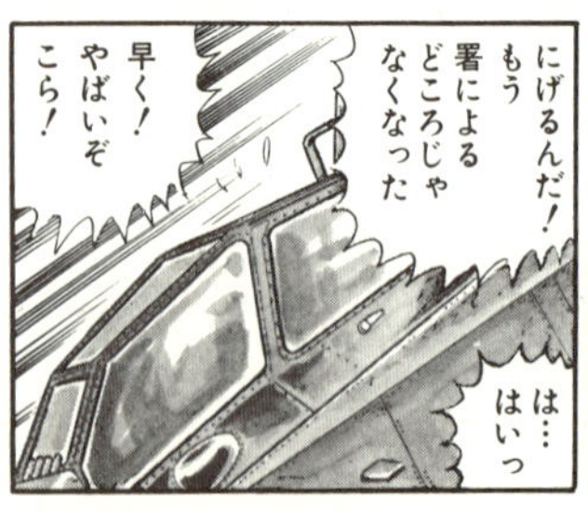
にげるんだ! もう署によるどころじゃなくなった
早く! やばいぞこら!
は… はいっ

ゾゾゾゾ‥‥

父さん また 盆栽ですか?
うむ? 今年の菊は じつに できが いい

来週の 県大会で 上位を ねらえ そうだな
この日の ために 毎日 手入れ したかいが ある

非番の日は いつも 菊いじり ですから ね……
なんとでも いえ これこそ 男のロマンだ

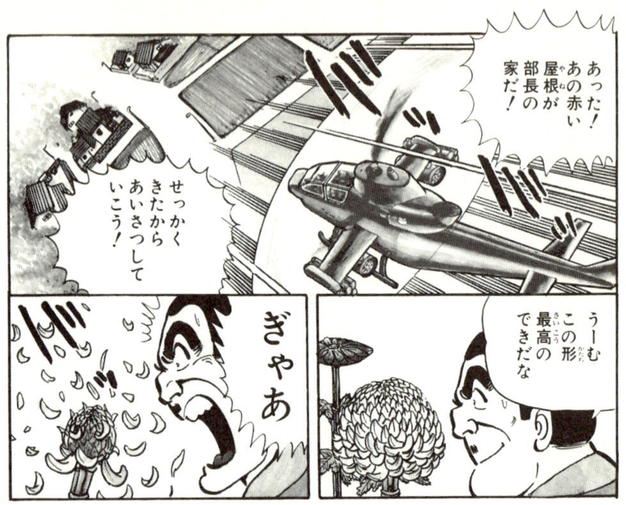
あった!あの赤い屋根が部長の家だ!
せっかくきたからあいさつしていこう!
うーむ この形最高のできだな
ぎゃあ

な…何事だ
た…大切な菊が!
あ!!

部長―――っ かわいい部下が 上司をしたって やってまいりました！
ババッ
こらっ 近よるなっ はなれろ！
ババババ
何いってるか うるさくて きこえないな……
前いって 近づこう
あっ
ジュババッ
ギエエ―――っ
ドドドドド
ドガガガガ

あなたっ どうしたの ですか!
両津が いやがらせに やってきた もう 許せんぞ!

なん度 いったら わかるんだ 死ね!
く くるしい!!

げっ 銃を 持って きた!

この 悪魔め! くらえ!
ドゴッ ドゴッ
ちょっと タンマ 部長!

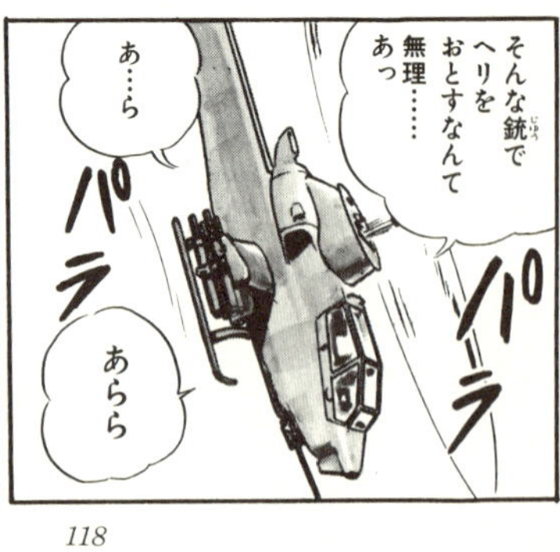
そんな銃で ヘリを おとすなんて 無理…… あっ
あ…ら
パラ パーラ
あらら

ドガッ

ガソリン切れだ
より道しすぎですよ
お宅！
さあ
つかまえたぞ
こっちへ　こい
妖怪め！
部長
誤解ですっ
私は
このふたりを
止めたんです
本当！

元警察官
外人部隊へ
強制入隊…
「疫病神」と
あだ名される男で
最前線へひとりで
突撃!!
だれですか？
この人……
おまえらも
よく　しってる
男だ　ついに
国外追放に
なったよ…
元警官外人部隊
ヤマハ
YAMAHA
SR750
ビッグ単コセ

★週刊少年ジャンプ1982年50号

夏便り…の巻

グオオ

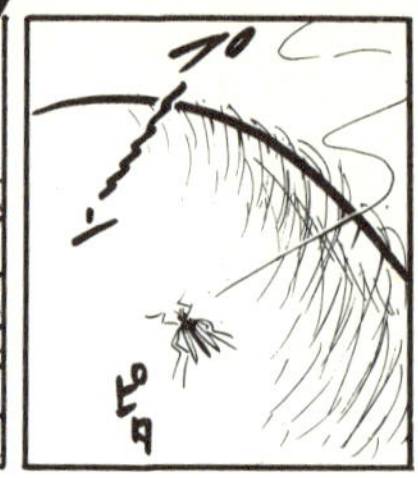
プ〜ン
ピタ

うるせえなーっちくしょう!

この蚊とり線香全然きかねえじゃねえか……

あつまってくるなっくそ!

こうなったら徹底的にたたかってやるぞ!

こっちには日本古来の蚊帳があるんだぞ!
これなら絶対はいれまい!

これは入場の時テクニックを必要とする

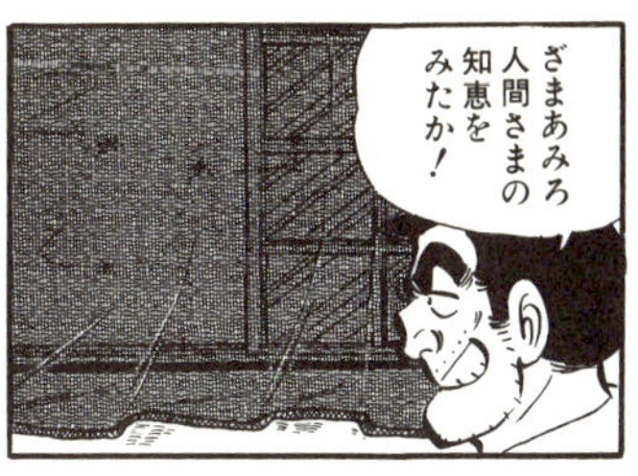
ざまあみろ
人間さまの
知恵を
みたか!

これで
安心して
ねられる
ドテッ

うおっ

そうか 去年の夏
魚とりで 使っち
まったんだ!

こりゃ
形を
変えないと
使用できん
ホッチキスで
つなぎ
あわせて
おこう

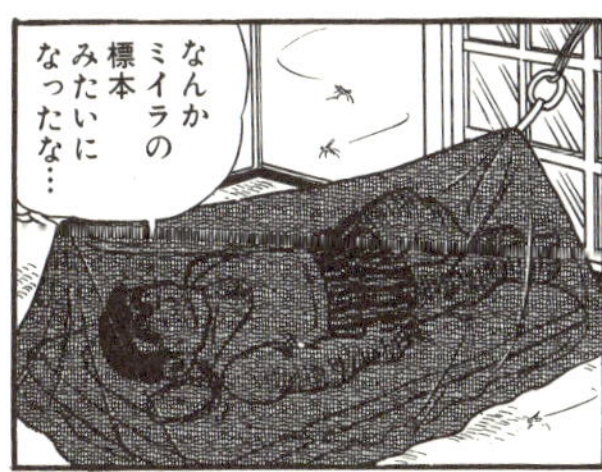
なんか
ミイラの
標本
みたいに
なったな…

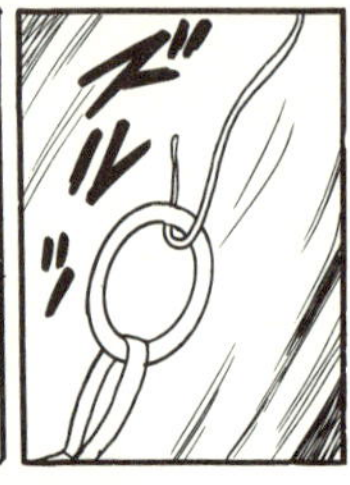
ズル
ッ

うっ
ヒモが
はずれた
!
バサ

ぐおっ
これは
いかん!
でられん
くそっ!
ガサ

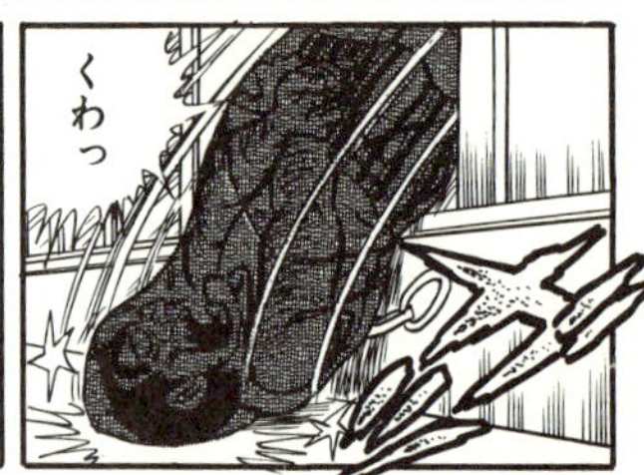
くわっ

いて〜〜〜っ
もろ
あたった!
ますます
目が
さめち
まったよ!

む
人の
けはい!
ゴソゴソ

だれだっ
!
きゃっ
チャッ

なんだ
麗子じゃ
ないか!
いきなり
銃を
むけないでよ

なんだって
こんな夜中に
きたんだ?
船に乗る
約束してた
でしょう
寮にいったら
いないん
ですもの!
そうか!
今日
だったっけ
!
パン
でも
仕事じゃ
しようが
ないわねぇ

まてよ!
いくよ!
あと4時間で
夜勤が
終わるんだ
寺井に
電話して
少し 早く
交替して
もらう
ピッポッパッ
え!?

ザロロロッ
寺井も
仕事熱心な
男だ……
すぐ
きてくれた
人が
いいのよ
かわいそう
に……

夜明けの
海は
素敵よ
楽しみね…

麗子
今
いくつ
だ…？

23よ…
それが
どうか
したの？

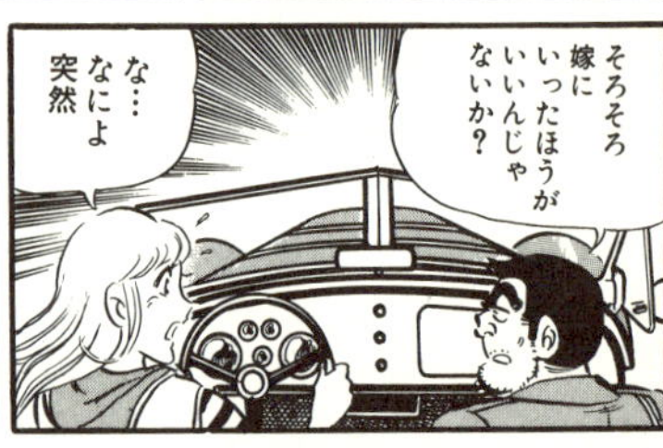
そろそろ
嫁に
いったほうが
いいんじゃ
ないか？
な…
なによ
突然

わしゃ
中川と
遊び回るのは
けっこう
だがよ…
しょせん
おまえは
女だからな

年とると
もらい手が
なくなるぞ
おせっかいね
人のことは
放っといてよ
ガロロロッ

両ちゃんは
どうなのよ
未だに
結婚しない
じゃない？
ば…ばかっ
わしは
いいんだよ

わしの場合
しないんじゃ
ないんだ！
相手が
きらったり
わしが
ふられたり…
いろいろと
問題が 多くて
その……

とにかくだな
男は40でも
50でも結婚
できる
だろうが!
女が
できるかよ
やってみろ!

中川と
話しあったんだ…
わしたちのせいで
婚期を
のがしたら…
悪いから
その………

そう……
ありがとう

いき
そびれたら
両ちゃんの
ところにでも
いこう
かしら
変なこと
いうな
ばかっ!

サン
24時間
営業
キィ

少し
食料を
買って
くるわ
少しじゃ
なく
いっぱい
買え

キイ
これがわたしの船よ……

足元に気をつけてね
朝日がまぶしいな……
すげえなあ！

ほう
操縦席がふたつもあるのか?
そんなところにいないで手伝って!!

食料中にいれといて冷蔵庫があるから!
本当かよ!

なるほど全部そろってるな……

沖にでてから朝食にしましょうね……
おおっいいねえ

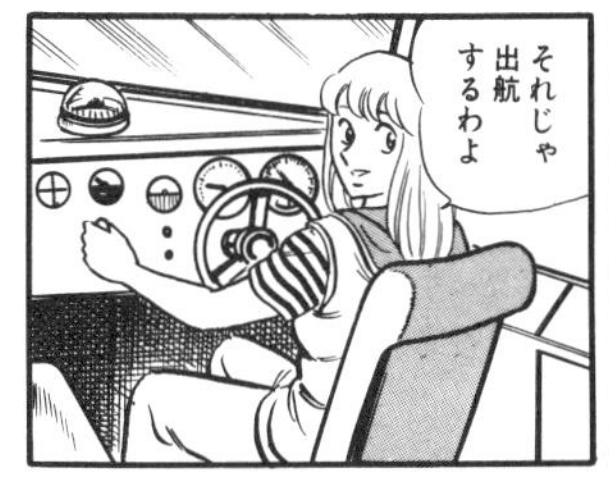
それじゃ出航するわよ

バルルル

ドドドッ

おっ動いた

いやっほーっ!!
ドドド

くったくった さて日光浴でもするか……
わたし先に泳いでくるわね

その体で結婚できんとは…不思議だ！
しつこいわね！もう！

なんだこりゃ
ジェットスキーよ 海のオートバイみたいなものね

おもしろそうだなぜひやり方を…

ちぇっ意地悪め!
あの性格を直さんとだめだなあの女!

あっ

きゃあーっ
サメがでたわ!
なに!

今いくぞ!まってろ!!

このやろう!

きゃ——っ

助かったわ
両ちゃん…
ザ
ザ
ザ

大変
サメがビーチの方へいくわ!

早くしらせないと危険だわ!
よしっ
ザ
ザ

ドルルルッ

ドドドドッ

ドドドド
だめっ
むこうの
ほうが
早いわ!

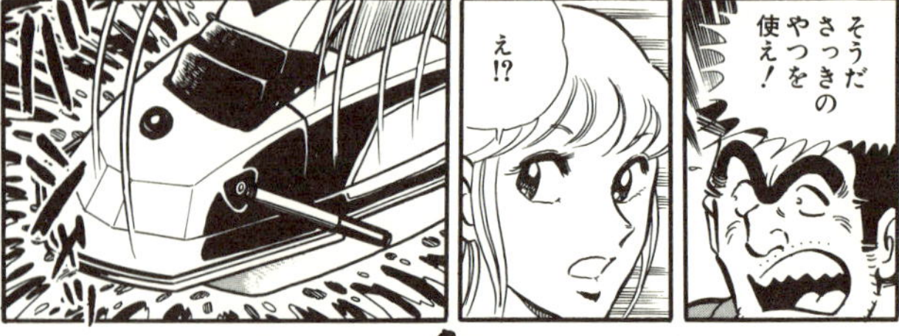
そうだ
さっきの
やつを
使え!
え!?

大丈夫!?
わたしが
乗ろうか?
こういう
のは
わしのほう
が 得意!

うほっ
こりゃ
すごい!

うわっ サメだっ
ズザザッ
きゃあ——っ
ライダージャンプ!!
ハングオンでのコーナリング!
うわっ
ザザ

ふたたびキック!!
どりゃ
このやろうカマボコにしちまうぞ
両ちゃん大丈夫!?
おう! つかまえたぞ 2匹とも!

悪いサメだ
歯を 全部
ぬいちまうぞ
てめえーっ!
アウ
アウ
サメより
あの人のほう
が こわい!

えっ
先輩が
!?

すっかり
ジェットスキーが
気に入っちゃって
困っちゃうわ
うおおおっ
ジェット
スキーに
かける
青春!
コーナ
リングの
魔術師
!!
魚釣る
べからず
おいてけ堀

★週刊少年ジャンプ1982年37号

車は愛だ!?の巻

秋の交通安全週間
ブロロロロ!

なにっ 運動会に 出場して ほしいだと!

秋になると いつも 体力だけがある わしに誘いが くるな……
まるで わしは 売れない 芸能人か?
ところが 今回は 体力は 関係ないん ですよ

車を 使った 自動車 フェスティバル 運動会です からね

えっ 車の 運動会 だと!?

の巻(まき)

車は愛(あい)だ!?

世界的に有名な待田コレクションのオーナー待田氏が主催し年に一回サーキットでおこなってるフェスティバルなんです
以前はクラシックカーなどのレースが主だったのですが近ごろ　変わってきましてね
警視庁

以前ブームのスタントカーや商業車レースなどアトラクションがふえたのですよ
ほうそりゃ面白そうだな！

車を　使っての綱引きなど野球やサッカーもあります
なんとそんな事できるのか！

百聞は一見にしかずとにかく会場を見てくださいよ

バオオーーッ

DUNL

キイッ
着きました！ここです

うおっすごい!!

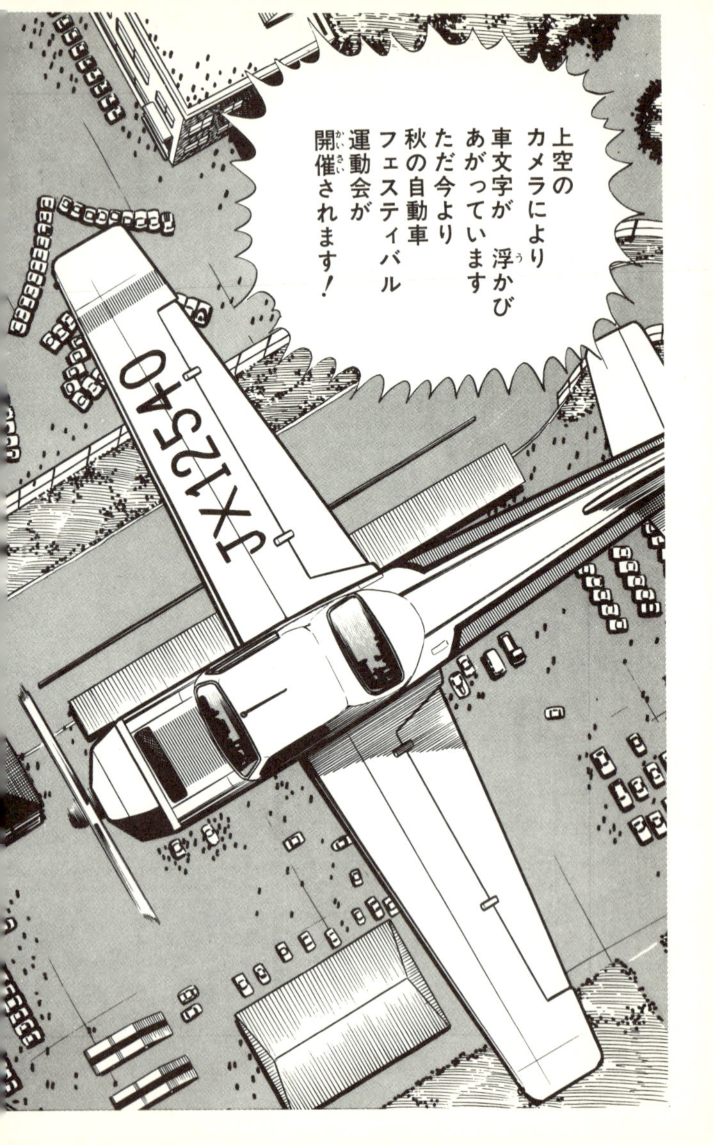
上空の
カメラにより
車文字が　浮かび
あがっています
ただ今より
秋の自動車
フェスティバル
運動会が
開催されます！
JX12540

日本全国から
名車10万台が
このイベント会場へ
集合しました!
まさに
ビッグイベント
です!!

すげえ数だなよくも　まあ集まったもんだ
日ごろマニアを自称する人たちの名車ばかりですからね壮大ですよ
TYOTA

ただ今主催者の待田氏の開会のことばです
ヴォオオ！
全員　上空のセスナに注目してください

みなさまこんにちは　私が　待田芳太郎です！
本日　ここには車を　愛する男が集合しました

ここは交通法規や法律などありません仲間同士！そんな物は無用です
われわれ愛好者はマナーを守り　ぜひ楽しい運動会にしましょう

ただ今より
大運動会の
始まりです
最後にひとこと
「車は　愛だ！」
ワーーー
目だつ事
するな！
イベントは
派手な方が
楽しい
ですからね
ガリオーン

相撲が
始まりますよ
いってみま
しょう！
ガオオオ
なにっ
相撲!?
ワァ

はい 両車 前へ でて！
ク
ク
ク
ク

バタッ
チャッ

ザク

バッ

それでは
両者
運転席に
ついて！
バッ

この勝負
どうみます
徳大寺さん
そうですね
空冷フラット4の
ワーゲンに
空冷並列2気筒のスバル
面白い組みあわせですね

みあって
みあって！
はっきょい

のこった
！

両車！
がっぷり
くんだ！
ワーゲン
押します
すごい力
です！

どう みますか 徳大寺さん？
わずか16馬力のスバルがソレックスキャブレターをつけた25馬力のワーゲンにまともに あたってはいけませんね スバル負けますね

ガガガッ

スバル 土俵ぎわ かわした 見事な ハンドルさばき！
キュ キュ

どう みますか 徳大寺さん
さすが 戦闘機「隼」の血を引くスバルですね 航空機の技術があらわれてます！スバルが勝ちますね

ワーゲン ふたたび スバルのまわしに 手を かけた！
やっぱり 世界一の量産車！スバルの負けですね！

なんと かわして うっちゃり！
スバルです スバルの勝ちです！
キュッ

今の勝負
どうでしたか
徳大寺さん
いやあ
初期型の
ボロ車で
よく　やりました
ワーゲンは　最近
サーファーや女に
このまれる軟派な
車になり下りましたから
中古価格の高い
スバルが　勝つのは
当然でしょう！
私は勝つと思ってました
あの
解説者
どっちの味方か
わからん
そう
ですね
セリカ
打ちました！
満塁です!!
こっちでは
野球を
やってますよ
次は　四番打車
カマロ！
福沢さん
面白くなって
きましたね
そうですね
カマロは
足が　速いです
おまけにランナーは
すべてDOHC車
ニッサン側は
苦しいですね
YAMAHA
TOYOTA
TOYOTA
NISSA

ニッサンはターボ選手が多いようですが
この距離ではターボがかかる前にベースですからね……ツインカムのトヨタ車が有利でしょう
TOY
打車は外人…いや外車ですからねパワーがありますね一発がこわいですね
ピッチャーSR311ふりかぶって投げます
打ったーっ!!
カッ
ガッ
ガタッ
ガッ
カマロホイルスピンしながら一塁へボールは一〜二塁間!
セカンドのシルビアターボがむかった
バオッ
ガオオオ
バババ
ガオオ
ギャアアア
ク

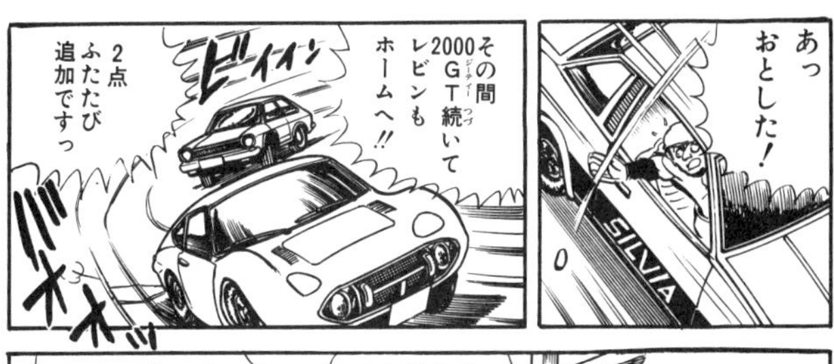
あっ
おとした!
SILVIA
その間
2000GT続いて
レビンも
ホームへ!!
ビイイン
2点
ふたたび
追加ですっ
ゴオオッ

よくも まあ
器用に
動けるものだ
先輩
そろそろ
ぼくらの
出番ですよ
商業車
レースに
出場の方
おあつまり
ください
レース会場

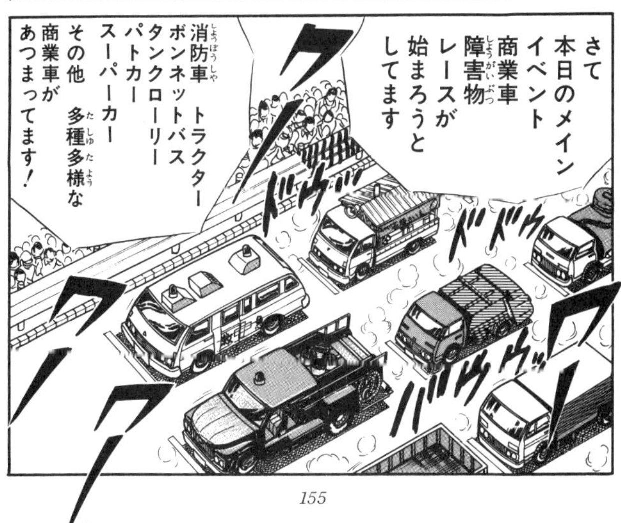
さて
本日のメイン
イベント
商業車
障害物
レースが
始まろうと
してます
消防車 トラクター
ボンネットバス
タンクローリー
パトカー
スーパーカー
その他 多種多様な
商業車が
あつまってます!
ドドドド
ドドウ
ババウウッ

先輩しっかりシートベルトしといてくださいよ
ああバッチリだ!
ドゥ
ドゥッ

スタート!!
パッ
救

げっばかなコスモスポーツがフェラーリより速いなんて!
わははははみたか!よみがえる60年代のパワーを!!
警視庁

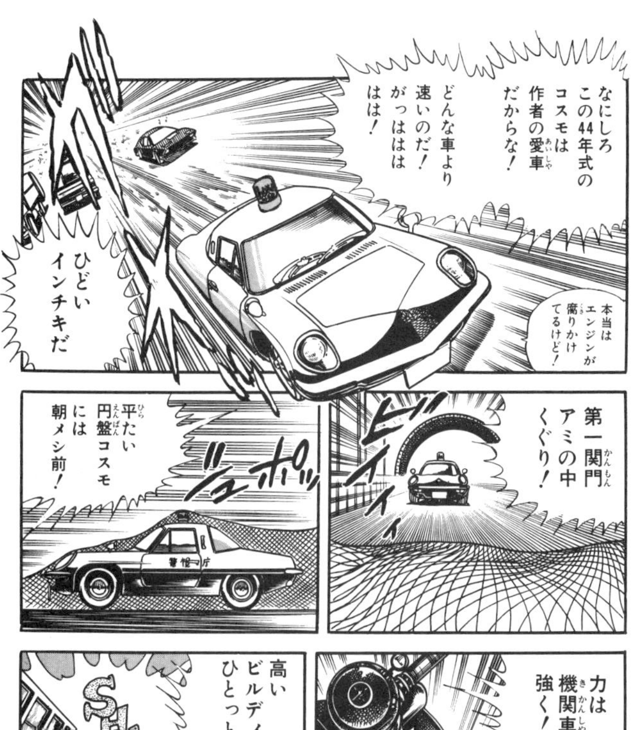
なにしろ
この44年式の
コスモは
作者の愛車
だからな！
どんな車より
速いのだ！
がっははは
はは！
本当は
エンジンが
腐りかけ
てるけど！
ひどい
インチキだ
第一関門
アミの中
くぐり！
ビイイイ
平たい
円盤コスモ
には
朝メシ前！
ジュポッ
警視庁

力は
機関車より
強く！
GASHI
GAAAN

高い
ビルディングも
ひとっとび！
SHUPA!
Oh!

鳥だ！
ロケットだ！
いや!! バッテリーをとりかえてもとりかえてもすぐ あがるコスモスポーツL10Bです！

先輩 何するんです 助手席から器用に 運転しないでください
うるさい！

チェッカーフラッグはまだか！

さて ここで一位の賞品をおしらせします
オー
オー
なんと 待田氏秘蔵コレクション このアルファロメオにさわれるという特典がつきます
すごい！

この車は
市価数千万！
おっ
きました
一位は
コスモ
スポーツ
です！

先輩
止まって
ください
そ　それが
さっきから
ブレーキ
ふんでるのだが
こわれたらしい

うわっ

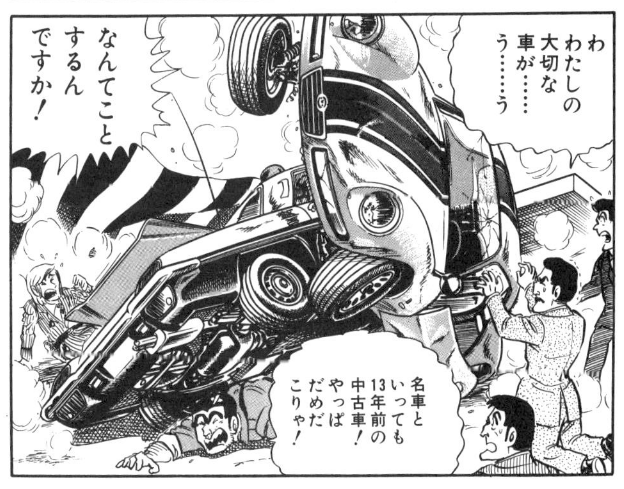
わ
わたしの
大切な
車が……
う……う
なんてこと
するんですか！
名車と
いっても
13年前の
中古車！
やっぱ
だめだ
こりゃ！

★週刊少年ジャンプ1982年49号

コピー社会の巻（まき）

チン
チン
大安売

さあ手にとってみてください!
一流おもちゃ全品大安売り!
大安売

中川ちょっとみてこよう!
えっ

なつかしいなG（ジーアイ）ージョーもあるぞ

なんとチョロQが一台100円!!
直営サービスで原価で売ってるからね
チョロQ 1台100円

よし! チョロQ50台買った
買い方が人なみじゃないよ

うおっす!

何買ってきたの? そんなにいっぱい…
駅前でおもちゃのバーゲンやってたんだよ

5万円も買うんだからね…まったく
給料日直後は湯水のごとく使うわね

一週間もすると「金が　ない」ってさわぐくせに
うるせえな！人の家計に口だしするな

わしだって自分の考えで使ってるんだぞ！
どういう考えかきかせてほしいわね

金をよく　みろ日本銀行券とかいてあるだろ
すなわちこれは馬券や入場券となんらかわりない

ある日突然　無効となったらただの紙だだからこそ使えるうちに思いきり使うのだ！わかるか！

根本的に考え方が屈折してるようね
アナーキーだからな先輩は…

この人形本当は動くんですか？
そうだよ21か所の関節が　動いて自由なスタイルになるのがGIジョーの特徴なんだからな…

ありゃ!?
このGIジョー手足が動かんぞ？

このチョロQも全然走らんぞ
外見だけでゼンマイがついていいない

先輩! これGジョーじゃなくてCージョーってかいてありますよ
なんだと!?
COMBA
CIジョー

うーむ よく みると昔のとは全然ちがうな
まがい物じゃないいんですか?

もしかしてこのチョロQも!!

あ!!
チョロQ
JAPAN

ひどい! ニセ物だ!!
よくある手ですね

このマイコンゲームも株式会社バンザイとなってるぞ! ちくしょう みんなニセ物だ!!
安物買いの銭うしないねだまされたのね……
CIジョー

中川！金返してもらおう！
もう店たたんでいないんじゃないですか!?

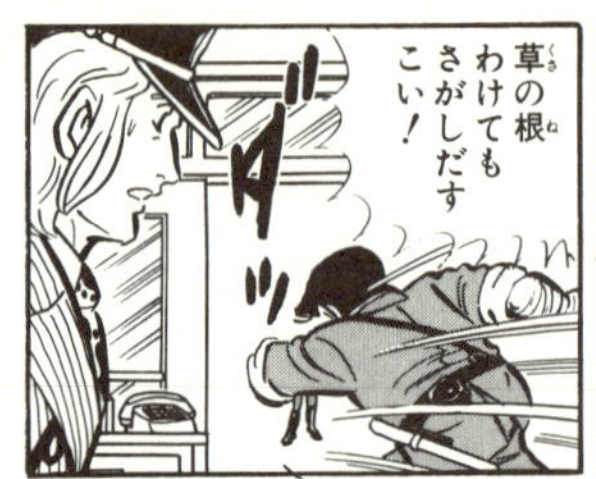
草の根わけてもさがしだすこい！

大安売

まだいたぞ！
うわっ

金返せこのニセ物やろう！
なんの事ですかいったい！

このGジョーニセ物じゃないかっ金返せ！
それはGジョーじゃありませんよCジョーってかいてあるでしょうが！

CIAのコンバットチームのジョー隊員の人形ですよお客さんが勝手にまちがえたんでしょ！
そ
そう…いわれればそうだが…うーむ…

先輩納得しちゃだめですよ！
そうだわしゃあ納得いかんぞニセはニセだ！

わしに理論など通じんぞ！あるのは行動だけだ金返せ！
私はしらん社長にいってくれ～っ
スペースゲーム

ものまね商事(有)

これが会社かよ！人間住んでるのかよこの中に…
世の中不況ですから…
ものまね商事(有)

社長
この人が
お金
返してくれと
ついてきたん
ですが……
おやおや
どうも
いらっしゃい
H.ONDA

なんと
車まで
あるのか!
それは
わが社の
新製品
ツティですよ
H.ONDA
ツティー
360
H.ONDA

まるっきり
シティじゃ
ないか
ホンダと
かいて
あるぞ
H.ONDA

よく
みてください
H・ONDA
です
音田　弘
私の名ですよ
H.ONDA

こんなの
わかるかよ!
まちがえて
買っちゃう
じゃないか
!
それで
わが社も
迷惑してる
んですよ
大手の会社が
わが社と
似た製品を
作るもので
まぎらわしくて
まねこそ
わが命
日本まね協会
ZR50
速い!

不思議と
わが社より
早く売られるので
産業スパイが
いるのでは…
というウワサが…
おまえの
方が
マネをして
作ってるから
じゃないかっ
とんでもない
!
わが社は
設備投資はせず
よそが 開発した
製品の中から
新製品を
作り出す会社です

1年前の
ルービック
キューブリックは
売れに売れた
これも
ニセモノが
でまして
困りましたよ
寄生虫
みたいな
会社だな
ここは…
ヒットの
ドサクサで
かせいでいる
みたいですね

これは
遅ればせながら
開発した
ヘッドフォン
ステレオです
ソニーの
ウォークマン
じゃないか
株式会社
TONY
世界の
おもちゃ
S.ONY
S.ONY
S.ONY
SANYO

ちがいますよ
S・ONY
私の兄
進お兄さんが
作った製品
ですよ
その名も
ウークマン
S.ONY

困るん
ですよね
そのように
大手会社と
まちがえ
られては…
まぎらわしく
してるのは
そっち
だろうが!!

すると
このラジカセは
SANYO
じゃなくて
S・ANYO
ですか?
さよう!
私のイトコの
安世左々子さんが
作った品です
REC SANYO

このテレビも
H・ITACH
さんが
作ったのか
いえ
それは
HI・TACH
いうメーカー名
です
HI.TACH

似たような
ライバル会社に
勝つため
値段はどこの
社よりも安くして
あります
今どき
真空管ラジオ
なんて
どこも作って
ないぞ!
TANMA

さらに
わが社では
流通ルートでの
マージンを
なくすため
直売や
通信販売と
いう手段を…
こんな物
おいてくれる
店あるか!

うっ
くくく…
どうか
したか…

お巡りさん
いいたい事
いってるが
今の世の中で
会社を
経営して
いくことは
大変なんですよ
わが社の
ような
弱小会社は
マネでも
しなきゃ…うっ
つぶれて
しまうん
ですよっ!!

ううう
資金さえ
あれば
うっう…
なんか
あわれに
なって
きたな

おれたちが
力かして
やるから
なっ
力より
お金を
かして
ほしい

オリジナル
製品を
作った方が
いいですよ
マネばかり
してたので
自信が
ないのです

ヤングに
的を しぼった
方が当たると
思いますよ
わが社でも
やりましたよ
すでに!

みてください
今 ブームの
ラミネート
カードの
タレント
ブロマイド
S.AN
ONY
薬師丸ひろ子
じゃないか
こりゃ
売れるぞ
この線で
いったら
どうです

それがすべてタレントのそっくりさんの写真でして…

よーく　みると別人ってわかってしまうんですよ！近眼の学生にしか売れなくて……
せこいマネするな！まったく！

今健康ドリンクがブームですからそっちの方はどうですか？
すばらしいその線でいきましょう

ファイトでいこうリポタンDというのはどうでしょう！
そりゃマネだ！別なの考えろ！

じゃオロナインCドリンク！うれしいとメガネがくもるんですよ
根っからマネしかできんらしい

スーパーエキサイティング青まむし2号というのはどうだ……
ずいぶんききそうな名前ですね

じゃ　さっそく開発にあたりますえ〜とスーパー…
姉妹品にキングコングファイヤーDスペシャルDOHCすっぽん3号ターボというのも…
どうも名前負けしそうだな…
持出禁止

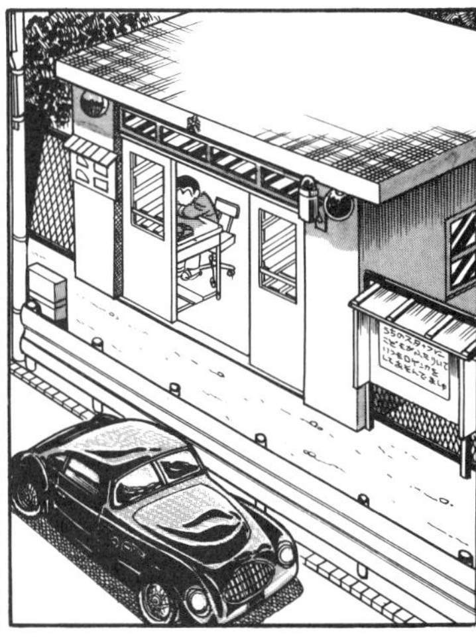

その後　社長から連絡ないが売れたのかなあのドリンク

つぶれたっていってましたよ
完全に…

まさか1ℓビンで作るとは考えてなかったですからねこの量では…
ほとんどしょう油とかわらん

自動販売機でこんなもの売れると思ったのかな
いっきに飲める人いませんんよ

★週刊少年ジャンプ1982年44号

おいらは、かぜさ！のまき

ぜーんぶ
ひらがなの
よいこむきまんが
あきもとおさむくん
え
とみさわちなつちゃん

いえーい
おおとばいは
はやい！
あたぼうよ
しいびい
ななひゃく
ごじゅうだぜ！
びゅうん

はしゅつじょに
とうちゃく
どおええすっ
かめありこうえ
きき
い

じゃーん
しぱっ
わたしが
りょうさん
だよーん

やあ
やすい ろうどう
ちんぎんで
はたらいている
ちほうこうむいんの
ろうどうしゃ
しょくん
きみたちは
まずしいぞ!
とうきょう
とつきょきょか
きょくきょくく
ない
よみづらい
せりふね

さぼってちゃ
だめじゃ
ないの!
めっ
なんと
おっしゃる
うさぎさん
わしと
ほんだは
ぱとろおる
してたん
だぞ
おおとばい
で?

そう
ぼくは…
なうい
おおとばいに
のって……

かぜに
なって
いたのさ…
あきの
かぜに…

おんなの
きみに
この
ろまんが
わかるかいっ
けつきょく
さぼって
いたので
しょう

ぷん
ぷん
ちがうと
いうのに！
かぜだ
いちじんの
かぜっ

なかなか
どらまちっくに
もりあがっとる
ね！
りょうつくん
ぴこん
げっ

こ…これは
ぶちょう
じゃありま
せんか!?
たんじゅんな
せんで　かいても
しぶいおかおで
………

さぼってちゃいかんじゃないかっこら!
はっはいじゅぶんにわかっておりますいたたっ
こまく

ちくしょうまがわるかったなくそっ

そとそうじしてきてよはいっ
れいこおぼえてろこのぶすっ

わたしはあわれなはたらきあり

どっこんどっこんどっこんどっこん
KAWASAKI
すごい!かわさきだぶりゅわんすぺしゃるだっ

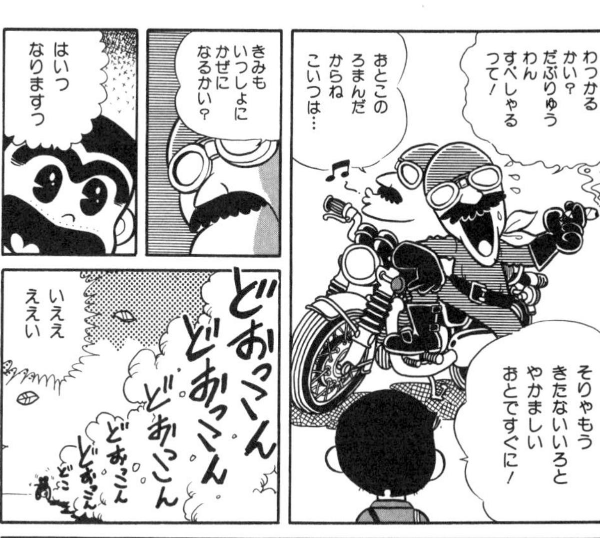
わっかるかい？だぶりゅうわんすぺしゃるって！
おとこのろまんだからねこいつは…
そりゃもうきたないいろとやかましいおとですぐに！
きみもいっしょにかぜになるかい？
はいっなりますっ
どおっこん
どおっこん
どおっこん
どおっこん
どおっこん
どこ
いええええい

ほんとうにかぜになってしまったあたまいてえっ
うみなんかでおよいだりするからよほんとうに！
ばかでもかぜひくとはよのなかもかわった
こんちゅうさいしゅうセット
紙おむつ

★週刊少年ジャンプ1982年44号

もてる条件の巻

えっ!?
わしが中川のかわりにおみあいをやるのか?

うちの両親がうるさくて勝手に決めて困るんですよお願いします
なんでわしがいかなきゃならないんだ

一流レストランでの食事つきですよ栄養をとるいい機会と……
ぶぁかもん! わしがそんなメシにつられて行くと思うのかっ
交際費もあげますよ10万円!
メシ+じゅーまんえん!

他人ならことわるがかわいい部下の頼みとあっては仕方ない引き受けよう
ただし相手の女性にきらわれてくださいよ

なんで きらわれなきゃ ならないんだ!
好かれたら 破談に ならないで しょう

きらわれる のか!? むずかしい 問題だな
相手が わしに ほれてしまうと いう可能性が あるからな う〜〜〜む

もてる条件の巻

先輩は
ふだんのままで
行動して
ください
そうすれば
自動的に
ふられると
思いますから
安心してください

自動的って
のは
なんだよっ
自動的って
のは！
だって
いつも
そうじゃ
ないすか！

東京・銀座
ワシントン靴店

えーと
たしか
このあたり……
Welcome

ここか……
西洋料理じゃ
ないか！
わしの苦手な
分野だ
銀座
シモ・ブ・クレ

よし
ここで
ちょいと
ヒョイ

とにかく
きらわれる
ように
しなきゃ
いけない
からな

このカツラはなかなか迫力があるな!
いらっしゃ……
ギッ
川村ひろみさんですか?
はい
いやあどうもおくれまして!中川圭一です
ドス
ドス

写真とはずいぶんちがってみえますね
そうですかいやあ写真うつりが悪くてね！

お年は25歳とききましたが……
そう！幼いころから苦労してるから年より多少ふけてみえるかも…

いらっしゃいませ
おしぼりか！気がきくねえ

うひょーっ
熱くて気持ちいい！
ゴシ
ゴシ

あれ！おたく顔ふかないの？
ええ
ゴシ
ゴシ

もったいない！
こういうのは有効に使わないといけない
ゴシ
ゴシ
ゴシ

風呂一回分くらい助かるよ
ねえボーイさん！
ゴシ
ゴシ

ご注文をどうぞ
ゴシゴシ

なんだこりゃ？
全部英語かよさっぱりわからねえ
キュッ
キュッ

アジのたたきと冷やっこくれ！
ビイイーン
あいにくそのような物はやってません
ピク

じゃイカ納豆と鉄火丼でいいよ
それもメニューにふくまれておりません

この方にメニューの説明していただける
はいかしこまりました

本日のおすすめ料理はペリゴー産フォアグラ また 舌平目のフレンチベルモット蒸しアルベール風 他にシェフ特選料理としましてサーモンのパテオゼイユ入りゼノアーズソース仔牛背肉ソテーポロ葱ぞえがございます

今日は
いい鮭が
入りましたので
鮭薄切りソテー
チャイブ入り
クリームソース
もういい
聞いても
どんな料理か
想像つかん！
わしは
鉄火丼と
イカ納豆
きまり！
ガタ
ありま
せんよ

どうしたの
かね？
キャプテン
あっ
支配人
このお客さまが
ムチャクチャ
を……！
なにが
ムチャだ

じつは
ボソ
ボソ
鉄火……
ピク

多少
時間が
かかり
ますが…
かかっても
いいよ

なんで
こんな人が
店に
はいってきた
のだろう
次あんた
遠慮なく
たのんで
………

オードブルに
ペリゴー産
フォアグラ
スープに
チキンコンソメ
ブルノアース

魚は?
平目のフィレ セルフィユソース などは?
そうね 平目フィレ白ブドウ酒ソース セロリピューレぞえが いいわね
そこ そこ! 英会話しないように!

そいから おっさん ビール もってきて 大ビンだよ 大ビン!
あの人は なぜ ここに きたんだ!?

ちぇっ もう たべちゃった! あんたの おいしそうだね
ええ おいしいわよ 中川さんも なにか たのんだら どう?

じゃ 肉! ボーイに通訳してくれよ
いいわ

シャトーブリアン ステーキ ウエルダンのが いいわね
たべられりゃ なんでも!

なんだ！こんな小さいのか!?

まるでひと口カツじゃないか大盛くれよ大盛！
当店はそれがおひとり分でございます

いう事をきかないとまたさわぐぞいいんだな！
わ…わかりました大盛ですねハイ！

どうしてあんなケダモノのような人がこういう店にくるんだ

きたきた
やはりこのくらいボリュームがないといかん！
カチャ

なんだこりゃ！
ちくしょうきりにくいな！くそ！
カチャカチャ

あっ

うわっ

このやろう
にげやがって
こらっ！
ザザ

やっぱ　ハシで
たべるのが一番
うまいねえ！
日本人には
ハシが似合うよ
まあ
おほほ

おーい
おじさん
しょうゆ
くれよ
しょうゆ！
あーあ
悪夢だ

ふう
くった
くった
ちょっと
おあいそ
してちょう
だい！

えーと
どれ　どれ
………

ピク
150,000
小計 SUB TOTAL 15,000
税金 10% TAX 15,000
SERVICE CHARGE 10,000
TOILET CHARGE
合計 GRAND TOTAL 23.0,000

二万三千のまちがいじゃねえのか？
いえ まちがいありません

じょうだんじゃねえよ！なんだ このサービス料ってのはいつサービスしたんだ！
このカードでお支払いお願いするわ

なんて店だ サギだな ここは！
そうでもないわよ ふつうよ

おじょうさん お車の用意がしてあります
なんだ こいつら！

わたしのガードマンなのパパが　すごく厳しい人で…
金持ち同士のみあいだけあってさすがすごいな

この男が中川ですか？上流階級の人間とは思えないな
よけいなお世話だうすらでか！

お父さまがホテルでおまちしてます車に　どうぞ

こりゃ完全に破談だな

まだおみあいはおわってないわ先に帰って！
えっ!?

中川さんとさっき映画みる約束したのよ
おじょうさんわがままいっちゃ困りますよ時間が　決まってますからね

さあお車へ……
きゃあ──っ助けて！

やめろよこら！
いてっ
ガツッ

いやがってるのに
力ずくで
引っぱっていく事
ねえだろ!
なに!
みあい相手だと
思い 下手に
でてりゃ!
少しょう
いたい目
あわせて
やれ!
おっと!
ケンカは
こっちのが
プロだぞ

早く
逃げて
YAMAHA
あっ
まて!!

あなた
中川圭一さん
じゃないんでしょう?

えっ
しってたのか!?

あたり前よ
あの姿で
だませると
でも思ったの
?
ちえっ
ばれちゃ
仕方ない!

会社がらみのおみあいばかり…本人の意志とは別にね……
それも相手は超一流の人たち…上品で ハンサムでスタイルもよくて!
いう事ねえじゃないか!
…………
中川さんもきっとそのタイプでしょう?
まあな わしと つきあって だいぶ変わったが……
しょせん血統書つきだ! わしみたいな雑種とはちがうよ
今までなん人もの人とおつきあいしたけど あなたみたいな人は初めてよ!
ははっ そうか!? 部長からもおまえは千年にひとりの人間だっていわれるよ はははは
逃げてきちゃったけど……どうしよう?
遊びにいこう! 人間 自由が一番! みあいの続きだ!
名前きいてなかったけど……
両津!
両津勘吉

やったーっ はいった!
ワーッ
みろ あたりだ 20万は かたい!
すごいわね!
オートレース場
あの白い人ね! そうよねっ
そう! いいぞ 逃げ切れ!
ブオオオ
ワーッ
きゃあーっ 一位よ!
やった はいった!!
ワーッ

すごい ドキドキ しちゃった
そうだろ このスリルが たまんねえよ 男のロマンだぜ

初めてよ おみあいで こういう所へ きたの……
そうか！ エリートは あまり こないからな

ハラ へったろ！ 何か たべて いくか？

うん

ラーメン
中華そ
南千住九丁目

ここは 店は きたねえが 安くて うまい！ ドンブリなんか 5年も 使ってるんだぞ
え？ 本当なの

きたなくて悪かったなそのかわり味はいいぞ!
しなそば
あたり前だこれでまずけりゃとっくにつぶれてるよ

つぶれた方が道が広くなっていいよ!ねえ
やだほほほ

ひとりで帰れるか
大丈夫よ子どもじゃないんだから

さようなら両津さん

ああ あばよ

えっ 破談じゃないんですか！

そこんとこよく わかんねえんだよ じつに……

中川はきらわれたよ 完ぺきに！ しかしわし本人はきらわれたとは思えんぞ
どういう事なんですか！

いったい何があったのよ
なんでおまえまででてくんだよ！

血統書つきのおまえらとわしのような野良犬とは世間の見方がちがうわけよ！
えっ 両ちゃんが犬!?
野良犬というより野良イタチだ

つまり
こうだな……

★週刊少年ジャンプ1982年48号

バイク時代!!の巻
学工業(株)
荒川区南千住
男子従業員募集!
給料10万円
プリンス・スカイラインＤＸ

たのしい
サラキンローン
(123)
4567

会議室

今日の議題はこれだ!
現代やくざのあととり問題!
ビシ

近ごろはやくざ志望者が少なくなりやくざ業界はタマ不足に悩んでいる!
男
このままでは組が　つぶれる事態におちいるそこで　おまえらの意見を求めたい

議長
はい
大久保くん!

高倉健と若山富三郎にテレビCMに出てもらいPRをする
イメージアップをはかったらどうでしょう

イメージアップならさわやかな原辰徳の方がいい
ばか! 女の人気を集めても何の役にも立たん
私語はいかんぞ! こら!

はい! 週刊就職情報などで組員募集をする!
それはいい案だ

組長! どうですか?
うむ
一句出きた
すずめの子そこのけそこのけやくざが通る

す……すばらしい……
おいみんな拍手拍手
わはわは!
パチ
パチ
パチ
パチ
さすが組長!

えーっ句会はその辺にしまして…
組長！今の発案にご意見を

ズタン
ん？今 何かやっとったのか？

「あととり問題」について会議してるところですよ しっかりして下さいよ組長！
そうだったな……
わははかんらからから
ユサ
ユサ

ではわしの意見をひとつ

すばらしいやくざを作るために若い衆を組で養成せんといかん
そのためにもわしらがヤングの心をつかむことが大切だ！
おっ組長がまともなことをいった
ガヤ
ガヤ
恐ろしいことが 起こりそうだ……

わしらの足はなんだ！きみっ！
はい ベンツ560です

こいつがまずいかん!
世間の人びとがこの車を見ると車間距離をあけ目をそむける!
それじゃシティにでもするんですか?
ちがう

ムスタングサンダーバードベンツこれらの車はもう時代遅れだ
明日からはみんなでバイクに乗るんだ
えっバイクに!?

見ろ若者の間じゃバイクが大ブームだ
わしらものりおくれてはいかん!
今.バイク時代
ボクらはバイク大好き少年だった…
中年ライダーは若者ライダーと金で差をつけよ
特集VT250

事務所も原宿に移そうと考えている
本気ですか組長!?

えらいことになったぞ!
ガヤガヤ
この年でバイクなど乗るのか!?

亀有公園前派出所

なに？やくざが暴走族になっただと!?

順序が逆なんじゃねえのか？
それが本当なの！昼間から原宿（はらじゅく）あたりに来るらしいよ

これからそれを取りしまりに行くところなんだ
面白そうだわしも行こう

わしは久びさにポケバイで行こう
ズパパーン
それに乗っちゃいけないんだよ本当は……

Play House
Ah Hot
千代田線
CHIYODA LINES
明治神宮前駅

キイッ

おーい
そんなに
急ぐなよ
パパパン

こいつは
燃費が
悪いな
ここにくるまで
8回も
ガソリン
入れたぞ
あたり前だ
タンクが
小さすぎる

今日はまだ来てないみたいだよ

おい！あれはなんの騒ぎだ！
え？

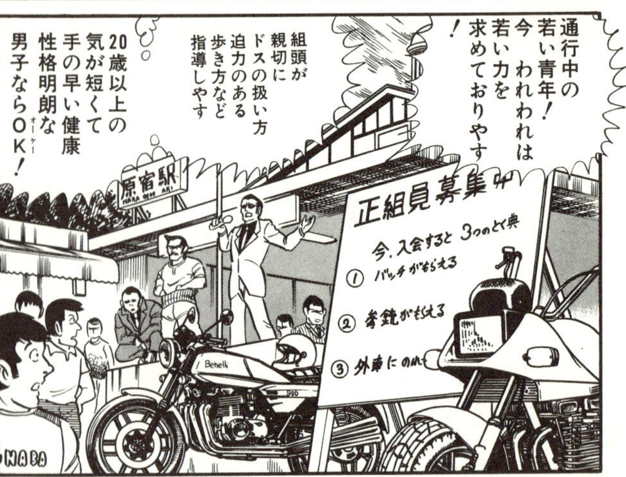

通行中の若い青年！今　われわれは若い力を求めておりやす！
組頭が親切にドスの扱い方迫力のある歩き方など指導しやす
20歳以上の気が短くて手の早い健康性格明朗な男子ならＯＫ！
原宿駅
正組員募集中
今、入会すると　3つのとく典
① バッチがもらえる
② 拳銃がもらえる
③ 外車にのれ
Benelli

そこ行くがっちりした青年！
きみは目付きもよろしい！一度きりの青春を太く短くわれわれと共に生きよう！

今ならわかりやすいテキストを無料で差し上げておりやす！
やくざ自身

兄貴準備が出来やした
よし

お待たせしやした!
バイク乗ってるナウイ組長!御所河原大五郎先生どうぞ!!

ドコドコドコドコ
うおすごい!

うはははははーっ
がっちょーん
ばっ

なななんですかあれ?
暑くなるとああいう人が多くなりますよ!
ザワザワ

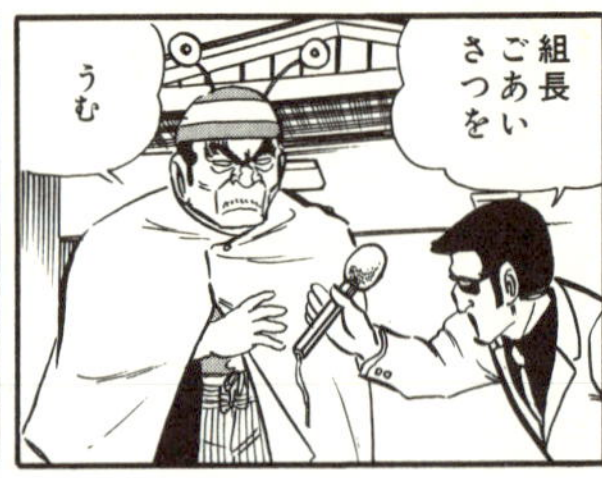
組長 ごあいさつを
うむ

一句 出来たぞ

はっ

気をつけろ 極道小町 ドスッ

しーん

静まるんじゃねえ! ほめるんだ! ほめろ!
うわっ!
ぎゃっ
ズギュ ズギュ
組長
ビシ
ビシ

す…すばらしい!
じ…じつに
パチ パチ パチ パチ
じつにいいお句で……
そ そうか…

では
リクエストに
こたえて
もう一句…
ずいっ
組長
ごあいさつの
方を先に！

ウォホン
じゃあ
あいさつを
する前に
小話を
ひとつ……

隣の家に
ブロックベイが
出きたそうで
そりゃ
お前さん
おむすび山だ！
がちょーん

しーん

何度言ったら
わかるんだ
静まるな!!
ぎゃあ
ーっ
ドガガガ
ドガガガ
ザザザ

さすが
一芸に
ひいでて
ますな
わはは
そうか

もうひとつ
あるぞ
となりの…
組長！
ワンマンショー
じゃないんすよ
その辺で
やめて下さい！

うおほん
やくざとは数字で書くと八・九・三となる

全部たすとゼロ!・・・ばくちで言うとブタで最低を意味している
しかしわしらは義理と人情を大切にするじつに男らしい会社である

組長いい事言うねぇ
いつの間に会社になったんだ…

この大五郎が当選したあかつきには警察をなくし住み良い世の中に…
あとはわしらがやりますんでけっこうです

あいつどっかで見た事あるなあ
以前 海でケンカしてたやくざですよ
正組員募集中

お前らこんな所で何やってんだ!
げっ昔の怖いお巡り!
入会受付

組員の募集です世の中不景気なもので
珍しい事しとるな……

給料20万かすごいじゃないか
ええ他に小指保険特殊作業手当や海外研修などもいろいろと
入会受付

うーむ警察よっかいいわしも転職しようかな?
本当ですか……お巡りさんならすぐ幹部ですぜ!

他の人も紹介すれば本人の名前を彫りこんだ長ドス・セットと5万円のプレゼント期間中ですが…
本当かよし!

こいつも入会するぞ5万もらった!
え!?
はいおふたりね

組員一号が決まりました元警察官の両津巡査長!二号は交機の本田巡査
うおーいやったーーっなんでも一番はえらい!

どうです今後の抱負は
目いっぱい組の為にがんばります
いいのかなこんな事して……

ズザシャッ
あっ
EXIT

バイクがこわされたぞ
あの車だ!
ガオォム

あのやろうなめたマネを!
つかまえろ!
ドルルッ

組の一大事だ本田追え!
もうその気になってる順応性が早いな

ババオオオオ

どけっ
どけい
!

すげえ
速さだ
さすがプロ
心強い
仲間が
増えたぜ

てめえ
止まれ!!

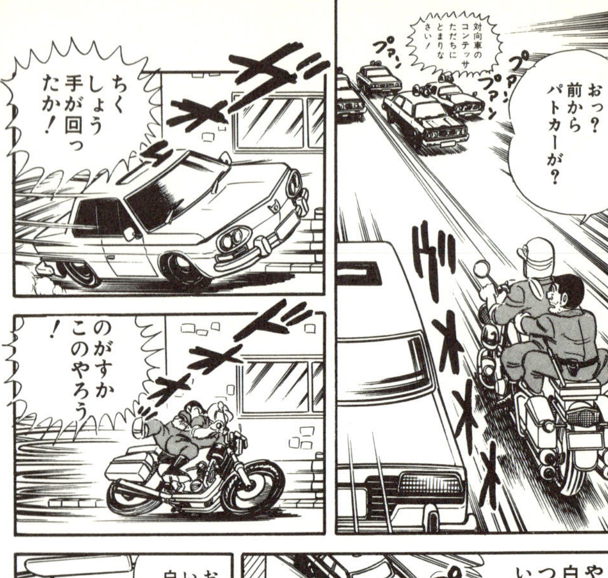
対向車のコンテッサただちにとまりなさい！
おっ？前からパトカーが？
ちくしょう手が回ったか！
のがすかこのやろう！

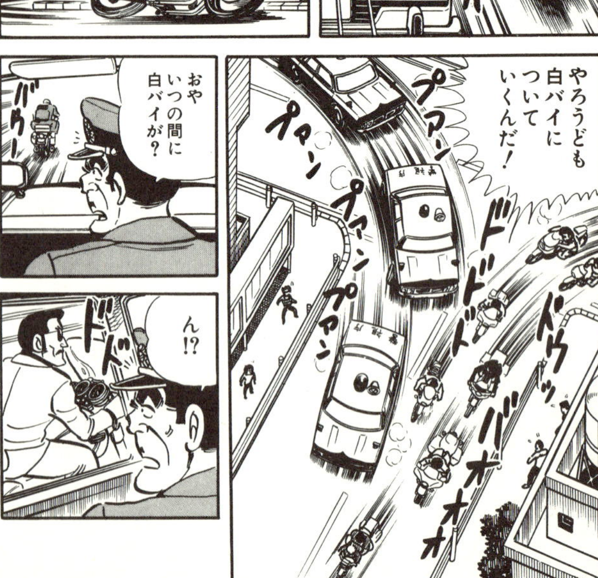
やろうども白バイについていくんだ！
おやいつの間に白バイが？
ん!?

どういうわけだ！変なグループと合流したぞ！

見たところやくざだなパトカーを挑発に来たのか？
さあ…

パトカーとツーリングとは心臓に悪いのう政……
へい！まったくで……

もうちょい寄れ屋根に飛びつく！
OK！
ドドッ

でやっ

ぐお！
スポッ

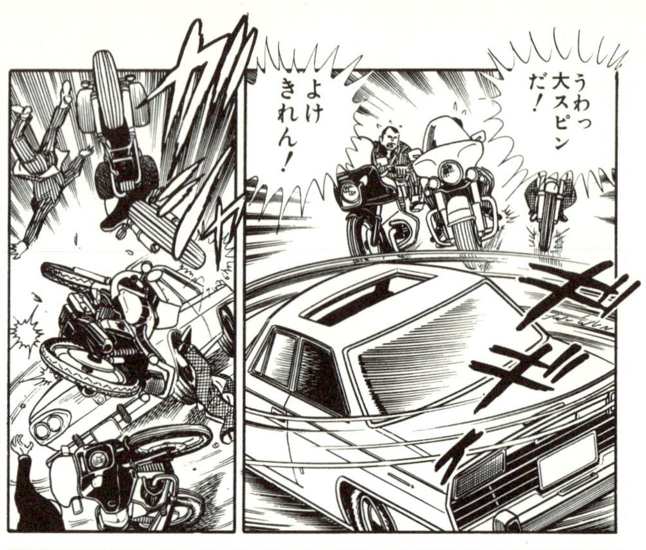
うわっ
大スピン
だ!
よけ
きれん!

一体
どう
なったんだ
これは?
視警

あっ
両津!
げっ
部長

おまえ
この車が
金融強盗犯と
知って
いたのか!
えっ?
強盗!?
そ そう!
その通り
もちろん
ですよ
ひと足
先回り
してましてね
じつは…
そうか!
大手柄
だぞ
両津!

いやあ
アニキ
さすが
元警察官!
なに?
やくざの組員に
入っちゃったん
ですよ
ぼくも一緒に!
あっ
しっ
しい!
こいつ
頭打っちゃ
ってね
ははは……

おまえの頭は
根本から
なおさんと
いかん
小学校から
やり直して
今度は
真人間に近く
なるんだ
ちくしょう!
ぐれて本物の
やくざに
なってやるぞ!
くそ!

★週刊少年ジャンプ1982年31号

思い出写真の巻

亀有公園前派出所

先輩
おそいね
大そうじだって
しってるのに!
しってるから こそ こないのよ

おっと
鉄道

おや
これは…

あっ
先輩だ!!

すごい…頭七三にわけてるクツまではいてるぞ……
別人みたいね貴重な写真だわ

あいつが初めて署に卒配してきた時の写真だよ

先輩でも新人のころあったのか？
あたり前じゃないボウフラみたいに突然わいてきたとでも思ってたの？

警察学校を出て すぐだからな19歳の時だったな
10代にしてはふけた顔してますね今とかわらない

当時はわしもまだ巡査長だったもう 20年も前の話だ……
アベック歌合戦を見て安全運転
トニー谷

キイ

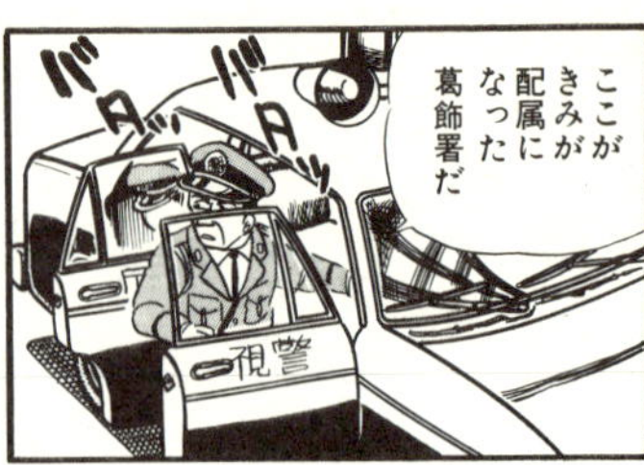
ここがきみが配属になった葛飾署だ
警視

ずい分古くさい警察署だなあ
銀座や赤坂の署の方がおれにはあうのにな

それじゃ署長にあいさつしてこようか…
大林さんちょっとまって!

第一印象が肝心だからな
いいイメージを与えないといけない
キュッ
キュッ

勤勉な青少年にみえる？いいかなこんなもんで…
ああ十分だよ早くきなさい

おっ犯人の護送だカッコイイ

みるからに凶悪そうな顔してるなう〜〜〜む
なに！

うるせえな！このガキ
こらっやめんか

きみもよけいなこというな！まったく
ちくしょう青年警察官をけったな

大林さんこういう凶悪犯は今すぐ殺そう！
あっこら！

おまえみたいなやつは死んだ方が世の中のためだ!
ぜひ死んでもらいたい!
ぎゃあーっ たすけてくれーっ!!
なにごとだっ!?
外だ!

こら両津 やめろ やめんか
まだ一発残ってる うたしてくれーっ
早く車に乗れ!
ひえぇーっ おそろしいガキだ!

なんの騒ぎだ これは!?
すいません ちょっと目を はなした スキに……

今度この署に配属がきまった両津くんです
げっうちの署に…

ど…どうもよろしくお願いします

うぐむ………

きた そうそう発砲しちゃったんですか!?
配属書と始末書を同時にだしたのはあいつくらいだ

その男がよりによってこの派出所にくる事になってしまった
当時ここの班長に岩田巡査部長という人がいてな………

まさに警察官の手本のようなすばらしい人だった

大原くん!

大原くん
あっ 部長でしたか…
すばらしい本

また本を 読んでいたのか
はい 先日部長にお借りした本です じつに勉強になります
すばらしい本

そうかね しかし勉強しすぎて私のようにカタイ人物になってはいかんぞ はっははは

とっとんでもない!
部長は私たちの鑑ですよ

それはともかく今度 うちの派出所にきまった両津勘吉くんだ
どうも両津です よろしく
ドサッ!!

さっき前で拳銃を乱射した青年ですか?
さよう うちであずかることにした 大原くん よろしくたのむよ

警察官にとってもっとも大切なのは平常心だ！わかるか？
いいえ全然

つまりどういう状況においても平常な心をもって対処していく……けっしてあわててはいかん

「心頭を滅却すれば火もまた涼し」すべて心のもちようだわかるな？

中学の時国語が「1」だったものでさっぱりわからん！
火がどうかしたんですか？

大原くんかれには理論より実践の方がいいと思うよ
はあそのようですね

それでは大巡行をやる！ついてきなさい
はい先輩質問

悪そうな人をみかけたら銃を　うってもいいですか！
いかん絶対うっちゃいかんぞ！

今通ってきたところがわれわれの管轄区だわかるな
はあなんとか………
渡辺のジュースの素
新東宝映画
雪之丞変化
美空ひばり
阿部九州男
宇治みさ子
フランスのモードがいっぱい
佐々木洋品店
ズボンのまつり上げ、打ちなおし致しま
SASAKI
ミルクスタンド
次回上映
不知火頭巾
勝新太郎
ステキな洋服を作ります。
ドドドドッ

きいてると思うが派出所は三交替制だ………
カラーテレビジョン
とくとごらんあれ!

夜勤をおえた次の日は非番となり………
ん!?

こら そんなとこで何してるんだ!
カラーテレビジョ

警官がテレビみてるなっ ばかもの
うち まだ白黒テレビなんですよ めずらしくてつい…!

先輩! はだしだからクツずれが痛くて! はだしで歩いていいですか?
まったくいろいろうるさい青年だ

じゃ そこでサンダルでも買ってきなさい
お金…
くつ

まったく今の若者はしっかりしてるな
ほら150円!

駄菓子屋よっちゃん
日本テレビ放映中
三馬鹿大将
サイダー
ソーダ・ラムネ
ラムネ 30円
これは調子いい水虫も治る一石二鳥だ
カラン
あまり音をたてて歩くんじゃない!
カラン
コロ…

先輩は今日の競馬何買ったんですか?
ピク…

きさま競馬などやってるのか!
あっいや!別にきいただけで…

警官たるものギャンブルに手をだしてはいかんぞ!
わかってます!先輩

すると 先輩パチンコやマージャンも当然やってはいけないんです…ね?
あたり前だ警察官は市民の手本にならんといかん!
サイダー

ずいぶんかたい人間だな

教養をつけるためきみも本を読みたまえ
読んでますよ「日の丸」や「おもしろブック」なんか!

杉浦茂の「猿飛佐助」なんておもしろいですよ……
わかったきみの頭の具合がすべて理解できたよ

いえい
!!
トリス
ババババ
ババ

今 流行のカミナリ族ですね先輩!
まったく近ごろの若者は…

あっ娘さんにからんでますよ
なにっ

吉永小百合に似たイカしたねーちゃんじゃん
よっ おれたちとゴーゴー喫茶でツイストおどりにいこうぜ
ドルル

兄貴 60年代にツイストなど古いこといってたら笑われちまいますぜ
もっと新しいのがあるのか?

今やドドンパの時代ですぜ
50年代じゃねえか! それはっ

ライラックの新車だぜ ロマンスシートに乗りな 九十九里浜までとばそうぜ!
きゃあーーっ
ねえちゃんえんりょするなよ

やめんかきみたち!
なにっ

若者のくせに娘さんをからかうとは何ごとだ！
なんだお巡りかうるせえ！
魚屋
印度カレー
安保反対
お巡りなんかこわくねえぜ！

柔道二段の私にかなうと思うか！
やっちまえ！

このやろう！
おっと相手はこっちだっ
ザ
ビュッ

先輩こういうのはわたしが得意！

でえい！

おりゃあーっ
こらっ あまり ムチャするんじゃない！

相手が強いぞにげろ！

にがすものか！ちょっと貸してくれ！
えっ
プロパン
ガス

あぶない プロパンをつんでるんだぞ！
プロパン
ガス
新発売
ハイライト

まてーっ
うわっ
タタタッ

ぐわっ
ひゃあ——っ

爆発だぞ!?
何がおこったんだ!?
なんと無鉄砲な男だ…

ブロロロ…

いやはや えらい 青年 ですよ

頭を かって 署長に さきほど わびを いれに いったところ ですよ
それは 大変だ のう

岩田部長! はっきり いって かれは 私の手に あまります 責任 もてません!
巡査部長 試験を 受けるのにも さしひかえます

大原くん 見放しては いかん
根気よく 愛情もって やらんと 新人は 育たん
はあ

きけば 正義感からの 行動じゃないか 大物に なるかも しれんぞ
そう ですか ……ね

そのまま 20年近く あいつと いっしょだ
消火器

当時からすごかったんですね先輩は……
なみの新人とはかなりちがっていたな顔も行動も…
どうもおそくなりまして
目ざましがこわれましてはははは
昼すぎに堂どうとくるとはまったく…
岩田部長の先見の明はどうでした？

はずれだな！あの時見放すべきだった！今では　もう手おくれだよ……
えっ!?手おくれ　また　わたしのことウワサしてたんですか？部長……
にくまれっ子世にはばかる…ね

★週刊少年ジャンプ1982年39号

うひょひょ
ひょひょ

本田!
このバイク
ならし運転
してるんじゃ
ないのか!
そうよ
一万回転で
ならし中
だぜ!!
舞混おじさんの巻

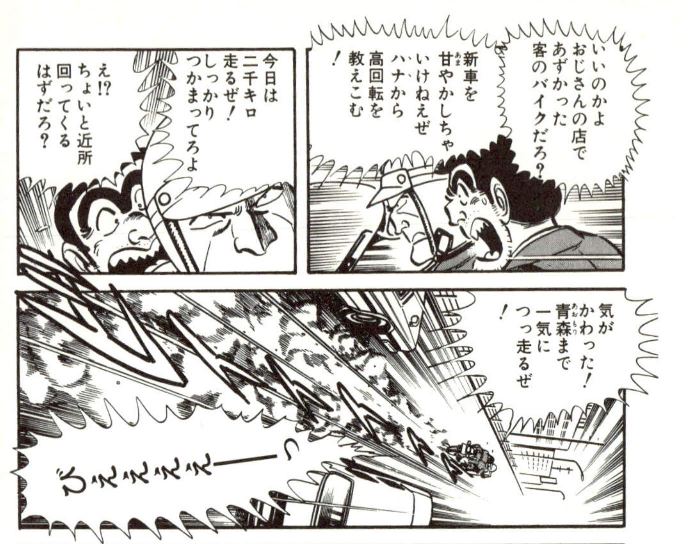

いいのかよ
おじさんの店で
あずかった
客のバイクだろ?
新車を
甘やかしちゃ
いけねえぜ
ハナから
高回転を
教えこむ
!
今日は
二千キロ
走るぜ!
しっかり
つかまってろよ
え!?
ちょいと近所
回ってくる
はずだろ?
気が
かわった!
青森まで
一気に
つっ走るぜ
!
ブィィィィィーーーっ

ビィィィイ…

おいこら
ちょっと
止まれ！

どうしたんだ
まだ
1時間も
走っちゃ
いねえぜ
このバイク
ふたり乗り
用じゃない
からな ケツが
痛くなった

こちとら
朝から
何もたべて
ないのに
つきあって
あげ……
ん！

みっけ！

しらぬが
仏！
背に腹は
かえられん
おい！
よせよ
バチ
あたるぞ

なんだ
このモチ
プラス
チックだ

あっ
この地蔵も全部 プラスチックでできてるぞっ

合理化の世の中だからな今は…
まるでプラモデルみたいだな

よけい腹へった何かたべるのくれよ
何もない！草でもたべるしかないな

ゲオオオ

おまえさん方どうかしたんか？
すげえ車だ！
ギイイ

腹へって動けん この辺に食堂ないかな
よかったらわしのうちでたべるか

そりゃありがたい ぜひたのむよ!

え! あんたお百姓さんだって!?
ヴオオオム
そうだべ! 今 農協の集会からの帰りだべさ

こんな高級外車乗り回してずい分リッチな生活してるな
このあたりの農業は他とちがってるからだべ

この地区はどこよりも早く農業にコンピューターが導入されたところだ
百姓というより農作物製造会社の社長だべ

ここがおらの会社だ
キィ
ごく一般の農家じゃないか……

外見だけだとそうみえるべ
牛や馬だってちゃんといるしな
ンモ〜

そりゃみんな作り物だべ
え!?

本当だプラスチック製だ!

むこうの神社やかかしも全部プラスチックの作り物だべ稲だって全部そうだべ
まるでジオラマみたいだな!?

観光用にふるさとのイメージはそのまま保護してるわけだべ
こ…これも作り物かうーむ複雑な気持ちだ

じゃ本物の野菜は?
ちゃんと作ってるだよ

まっとにかく中にはいってくんろ
あっ自動ドア!?

あっ

すごい！まるで研究所みたいだ！
ははは
そうだべ
このあたりの
農家はすべて
こうなってるだ

ちょっとまってろ
ダッ
どこへいくんです先輩

うーむ
外から　みると
やはり　ただの
農家にしか
みえん

従業員のかわりをロボットがみんな　やってくれるだよ

ここに　いればモニターTVで田畑の様子がわかるだよ
なるほどこれは便利だな

かんじんの畑はどこにあるんだ?
地下だべ でも 地上と ほぼ かわらん

地下だと台風や水害ないべ だから一年中プログラム通り野菜などがとれるだよ
ほう

畑の様子を調べるにはモニター前のスイッチで操作するだ

すると実物が…

コントロールセンターに送られ…

これをコンピューターで分析すればいいだべ

野菜の状況が手にとるようにわかるだ
こりゃすごい
ピッ ピッ

種まきから
刈り入れ
包装まで
すべて　この
コンピューター
で　やっちまう
だよ
本人は
全然
土に手を
ふれず
できる
とは！

今　新鮮な
米くわすから
ちょいと
まってろ
なに
いれてる
んだ！
シャキッ

プログラムを
ロボットに
セットした
だよ
ガシャッ

モニターに
映るから
見にくると
いいだ
どれ

30秒で地下の
畑へ　つき！
ガチャ

自動的に
稲刈りを
始めるだ
ががが

そして脱穀され
ヴィイイン

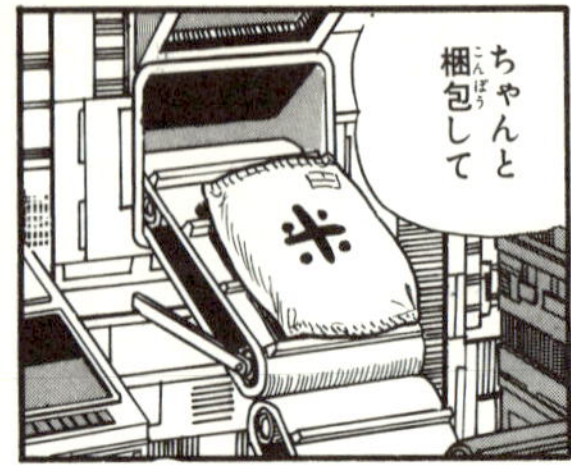
ちゃんと梱包して
米

ここへとどくだよ
すごい手品みたいだな!
ドサ
米

本来はこれを一俵ごとにまとめてやるだ
それよりさっそくたべたい

どうだねキュウリやナスもうまいだろ
コンピューターでとれたナスはうまい
まさに未来感覚の野菜だ

食後にイチゴなどどうだべ
ブーッ

なんちゅうイチゴだそりゃ
プログラムを変えて作製した巨大イチゴだ

他に巨大なインドリンゴ巨大な巨峰ぶどう巨大なサクランボなど……
もういい食欲がなくなる

小さいのもあるだよひめスイカ
ズル

これは皮をむかずこのままたべるだ
不気味だ……

これはひめパイナップル丁度手りゅう弾くらいだべ
さらにひめバナナこれはつくるのに苦労したよ
そんな物だれも買わんよ

最新作があるんだべ
紫色のスイカでも作ったのか？

これ！
ただのバナナじゃないか

むくと中はトウモロコシ……

たべるとこれがピーナツ味というマルチバナナ

どうしようもないもの作るな！
まだ　まだこれは外見がカボチャだべ

皮を　むくと中がみかん！

しかしよく　みるとこれがギョウザ！

ギョウザは野菜かバカ！
最後！これが最高！

外見は大型落花生
中は小型メロンが2個……

これが運よくあたると
中に真珠がはいってるという……
ピク…

ぼくらツーリングの途中なのでこれで……
そうか残念だがね

まだ まだたくさんあるけどなあ……
もういい！あまり みると野菜が たべられなくなる！

また 近くに
きたら寄ってくれ
今度は
お湯かけるだけで
たべられる
米を 作るだ
ドルルル
まともな
やつだけ
作れよ!
なっ

それにしても
ロボット
ニワトリは
気味悪いな
コケッ
コッコッ

あっ
そうだ
ちょっと
まって
くれ……

これは
新作の
野菜じゃ
みんなで
たべてくんろ
いやな
予感が
するな

おまえの野菜
八百屋に
おろすより
ギネスに
のせた方が
いいんじゃ
ないのか?
ギネスって
なんだ?

まあ
いいや
じゃあ
達者でな
どんも
どんも

うひょよっ

まんず
ミサイル
みたいな
単車
だんべな
みた目は
悪いが
味は
いけるな

しかし紫のバナナというのは…
固定観念をすてろ!

この黒い大根リンゴの味がしますよ
うるさいやつだなだまってくえ!

でもすごいわねお米までコンピューターで作られるなんて……

今やすべてコンピューター時代よ!
人間さまは寝てるだけで全部ロボットがやってくれる楽な時代だ
とにかくすごいぞ

今にロボットの白バイができておまえなどクビだぞはっははは
それじゃこまりますよ!

そうだあのじいさんところに電話してみよう
えっ

この野菜
東京で売れる
かもしれん
いっぱい
送って
もらおう
ピッ
ポッ
しっかり
してるよ
なんだ?
あんたか!
今
こっちは
それどころ
じゃないん
だべ!

なにっ
村の発電所に
雷が 落ちた!?
機能が マヒして
村中パニック状態
だって!
あまり
コンピューターに
たより
すぎるのも
あとが こわい

★週刊少年ジャンプ1982年42号

遊(ユー)ボートの巻

おい 中川
なにか
おもしろい
ことないか
………？
かくれんぼ
なんか
どうです？

じょうだん
よせよ
町中で
できるかよ
もっとも
わしは
大得意だが

どうせ
やるなら
太平洋ぐらい
広いところで
やりたいよ
いいです
よ………

なにっ
太平洋で
やる気か
!?
はい
さっそく
明日でも
休日ですから

ザオオオム

どこ いくん
ですか？
ぼくは
仕事中
なのに…
仕事なんて
たまにゃ
さぼったほうが
体にいいんだよ
ズドドド

中川家葉山別荘

ここにも
おまえの別荘が
あるのか
すげえなあ
夏は　よく
ここへ
くるんですよ

ここの
地下です
ここは
地下が
海に
つながって
ます
え?
どうして…

ビィイ・・ン
あっ

ぼくのおじいさんがこういうのがすきでねコレクションもってるんですよ

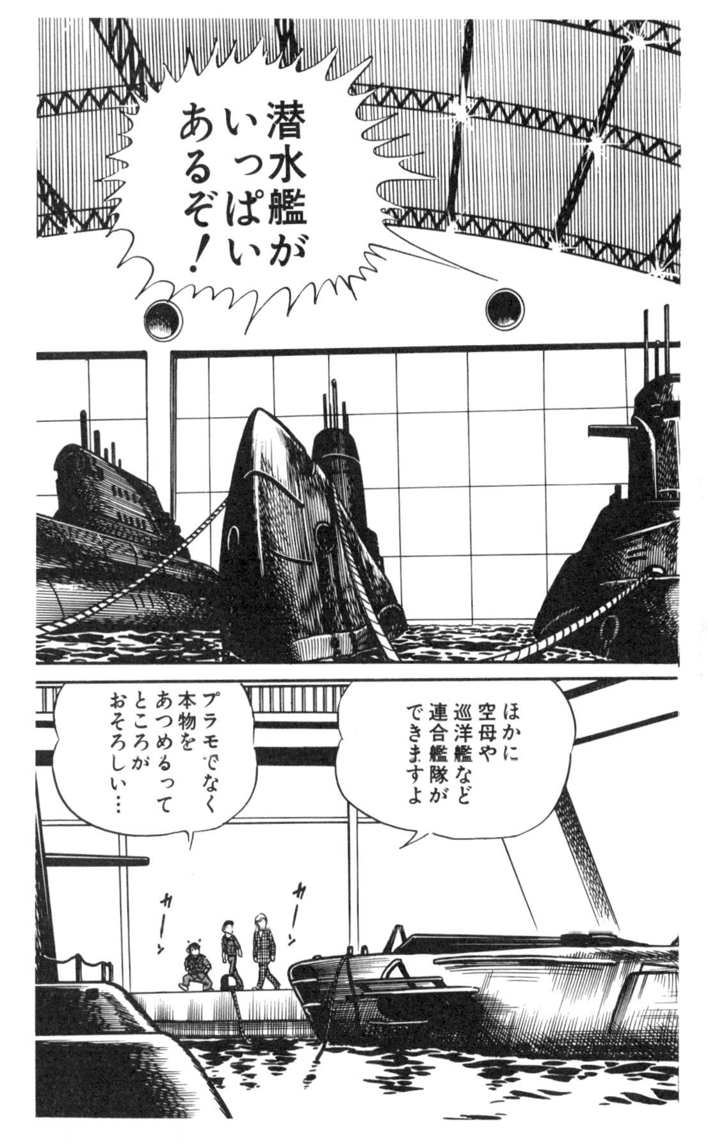
潜水艦がいっぱいあるぞ!
ほかに空母や巡洋艦など連合艦隊ができますよ
プラモでなく本物をあつめるってところがおそろしい…
カーン
カーン

まさか
この潜水艦を
使ってかくれんぼ
しようという
気じゃない
だろうな?
さすが
先輩
かんがいい

帰る!
鉄の塊と
いっしょに
太平洋の
もくずと
きえたく
ない……
まって
ください
心配いり
ませんよ

これら
コレクションは
図面を 元に
姿だけ 当時の
ままに製作
されたもの
ばかりです
だから
内部や
司令室は
最新技術を
駆使しています
絶対 安心です

じゃあ
あの機銃
は…?
ダミー(模型)
です……
使えません

魚雷は
使えますよ
ただし
模擬弾
ですがね

艦長や
乗員も
先輩に
協力します
この人は
名艦長
山本三十六
さん
よろしく
そうか
ははは
おもしろ
そうだな!

じゃ はじめは わしたちが にげるぞ 中川が 鬼！
いいですよ

ひょっとして ぼくも 参加してるん ですか？
無論！ そのために ここに連れて きたんだ

じゃ 30分たったら 追いますよ みつけたら 合図します
よっしゃ みつけられる もんなら みつけて みろ！

やだあーっ ぼくは 乗りたく ないよーっ
いいから こい！ ゲームだよ ゲーム！

バタン

ズザァァ

うひょうーっ
かっこいい
サブマリン707を
思いだすぞ
こんなのが
ゲームとは
思えないよ!

おい 艦長
酒あるだろ
酒のんで
景気
つけようぜ
むちゃくちゃ
いうな!

わはははっ
そうだ
そうだ

おーい
もっと
酒もってこい!

先輩　もう　みんな　よっぱらって　ますよ
なんでえ　だらしねえ　それでも　海の男か!!
ドン
いやっ　わしは　まだ　のむぞ　つげ!

さすが　艦長!　気に　いったよ　がっはは!
七つの海を　股にかける　男だ　このくらいの酒　へでもないっ

酒ぐせの　悪い同士が　あつまっちゃった　どうなるのかな　…もう
う〜み〜は　ひろい〜な　お〜き〜な

グオオ…ン
中川側対潜哨戒機

レーダー　音波探知に　反応なし

中川側高速潜水艦

ぼっちゃま これだけ さがしても 全然 みあたり ませんよ
範囲は 200カイリまでと きめていた はずなのに 一体どこへ…

海の家

ザザァ
やったーっ 最高の 波だ!

ゴツン

ん?

な…
なんだっ

ザザ
うわっ

ズザ――
ズザー

潜水艦が波にのってきたぞ!?
ズザザザザ

あいたたたどうなっちまったんだ!?
ヨットがこわれたよひどい!
どうした敵の攻撃か!!
上陸用舟艇だ!!

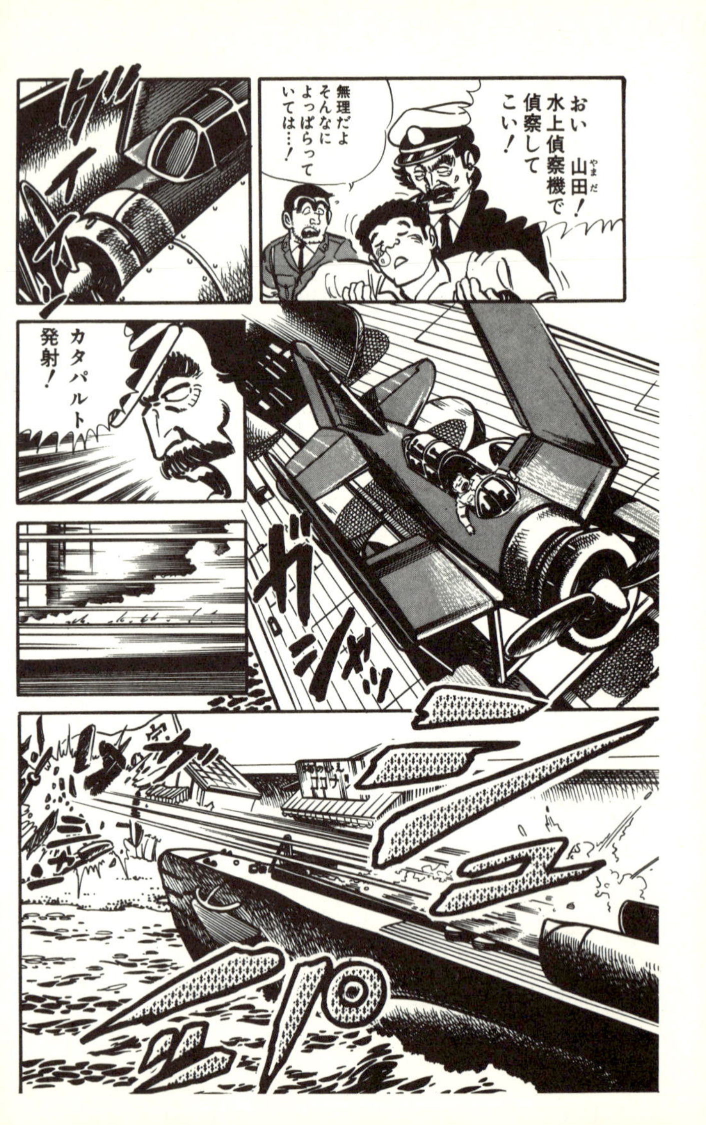

おい 山田! 水上偵察機で偵察してこい!
無理だよ そんなによっぱらっていては…!
ブルル
カタパルト発射!
ガシャッ

山田(やまだ)あたりのようすはどうだ?報告しろ!
あたりは…星がいっぱいでありますひっく
赤い星がちかちかとみえます!

な…なにっ赤い星!?
それは敵だ!

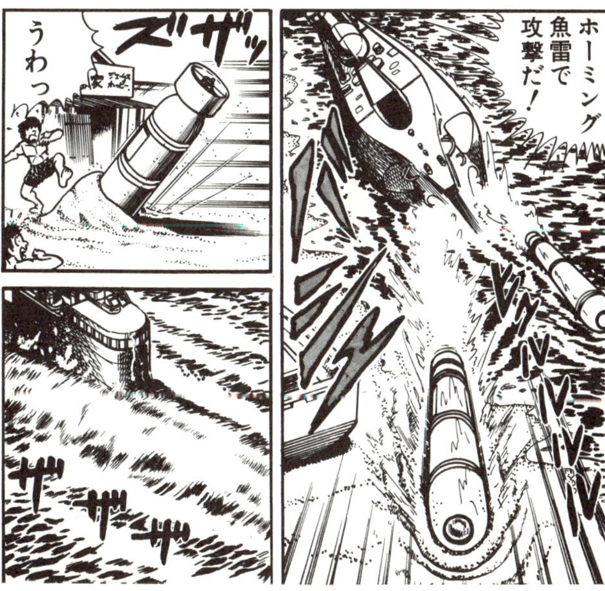
ホーミング魚雷で攻撃だ!
ズザザッ
うわっ
ザザザ

シュポッ
シュポッ
ザザザ

いったいあれはなんだったんだ…
さあ……
海の家

おい 艦長 海底にしずんじまうぞ!
潜水艦がしずむのはあたりまえだ

うわっ

なにかにあたったぞ…!!

海底についたのか………
まさか…

ズ
わっまただ!!

他国の原子力潜水艦がいたんだ!!
攻撃してきたぞ!

おい 艦長
にげろ!
よし!

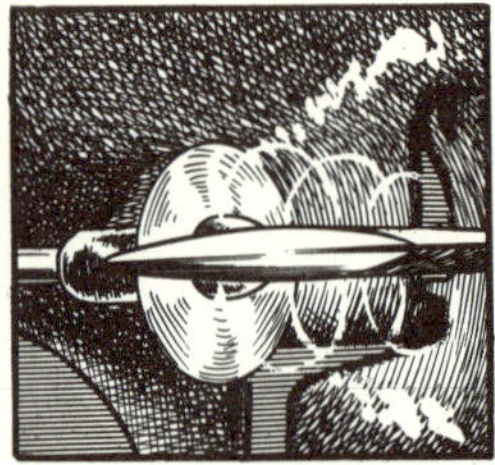

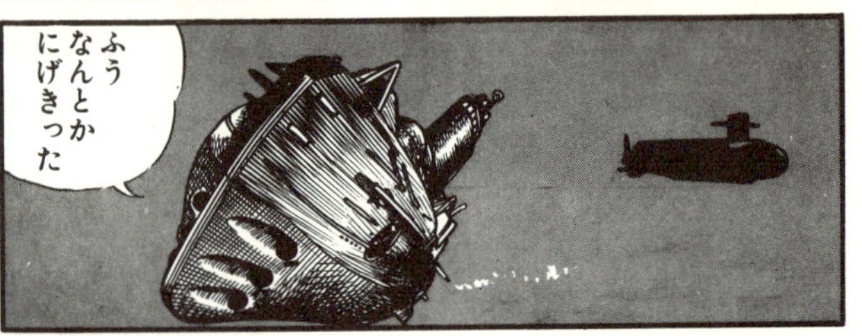
ふう
なんとか
にげきった

今度は
もっと 巨大な
潜水艦に
ぶつかった
ようだ……
なん
だと!

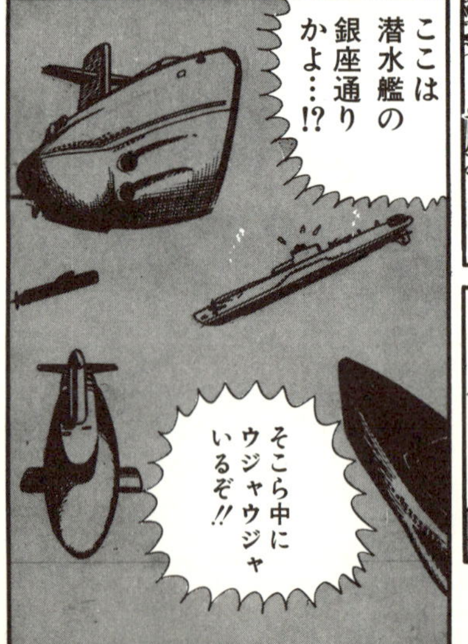
ここは
潜水艦の
銀座通り
かよ…!?
そこら中に
ウジャウジャ
いるぞ!!

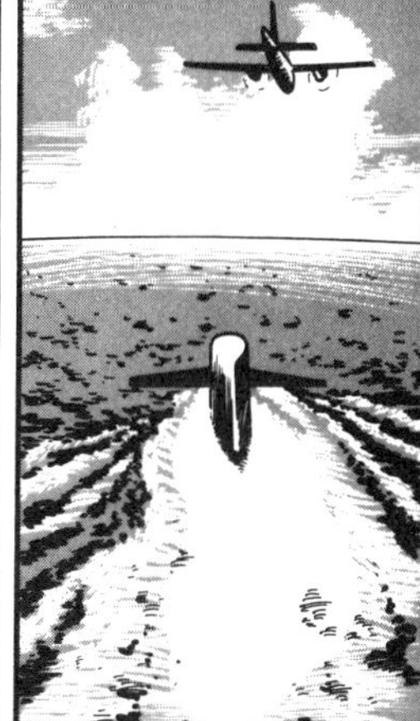

★週刊少年ジャンプ1982年22号

シェルター屋さんの巻

プリンス・スカイラインGT－B

きんぎょ〜〜え
きんぎょ〜〜
すっかり夏だな
チリーーン

ブ〜〜ン
しかし冷しカレーうどんというのはうまくない……カレーとわさびがあわん
といいつつ全部たべてしまった
ふう 余計暑くなったよ

町内のみなさまお騒がせしてます毎度おなじみの…
まったく暑くるしくなるスピーカーの音だな
広辞苑

一般市民用核シェルター屋でございます
なにっ

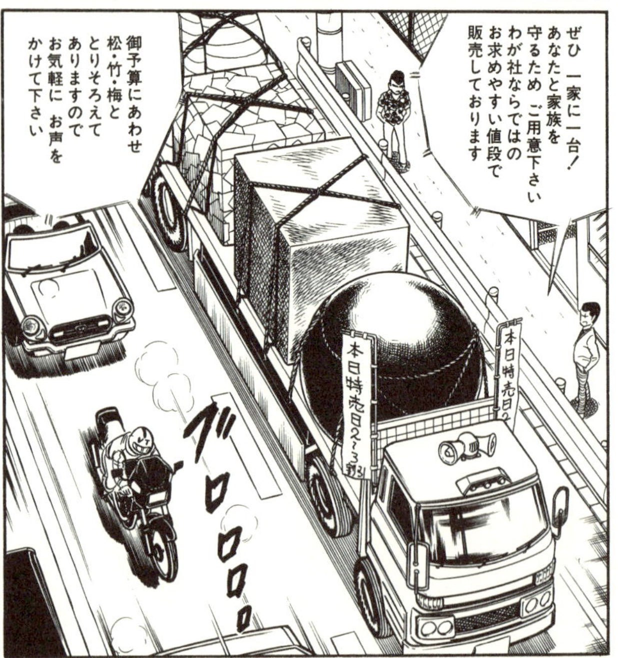
ぜひ 一家に一台! あなたと家族を守るため ご用意下さい わが社ならではのお求めやすい値段で販売しております
御予算にあわせ松・竹・梅ととりそろえてありますのでお気軽に お声をかけて下さい
本日特売日
ブロロロロロ

キイッ
おい! ちょっと 止まれ なに事だ この巨大なトラックは?
本日特売日 2～3割引

毎度おなじみのシェルター屋ですが……なにか?
核シェルター屋
どこがおなじみだ! 全然 しらんぞ

え? シェルターを御存知ない?

タバコのフィルターしかしらん

これはこれは現代人のシーラカンスですな
よろしいご説明いたしましょう

シェルターとは昔でいうと……防空壕ですな つまり 火災や爆風から 人を守り外部で なにがあろうと安全な逃げ場所です
むろん放射能も防ぎ 中で生活できるわけです
ほう

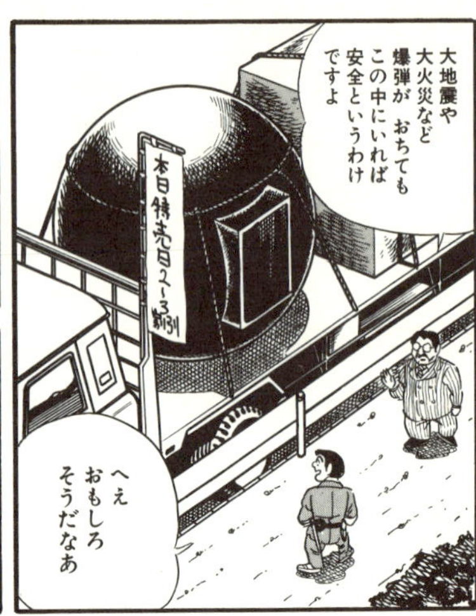
大地震や
大火災など
爆弾が　おちても
この中にいれば
安全というわけ
ですよ
本日特売日2〜3割引
へえ
おもしろ
そうだなあ

かくれがに
丁度いい
ひとつ　くれ
こちらが
松で500万円
です

なんだと
500万も！
輸入物は
倍以上ですよ
国産だから
この価格

こちらの「竹」は
どうですか
安くするため
ブリキをベースに
してあります
価格は
100万円
まだ
高い！

こちらは
大衆モデルの
「梅」木造り
表面にアルミが
まいて
あります
なんで
アルミなど
まくんだ

アルミは
放射能を
防ぐのですよ
戦争が　おきても
安心ですからね

木は杉を使用しまして ズバリ30万円
高い 500円位のはないのか?

ご…500円でシェルター買う気ですか
市民用ならその位が相場だよ!

体中にアルミホイルをまきつけて地面にうまっていたらどうです
みの虫じゃねえぞ 息が つまって一番初めに死んじまうよ!

部長にすすめてやろうと思ったのにまったく
えっ ご利用なさる方がいますか

戦争が おきても自分だけたすかりたいという典型だ 部長なら必ず買う!
そうですか! ぜひそういう人に!

一度おためしください どうぞ!
そう そのように扱いなさい!

まんまるだよ 中はせめえや!
球体が体型構造上一番安全なんです

バタッ!!

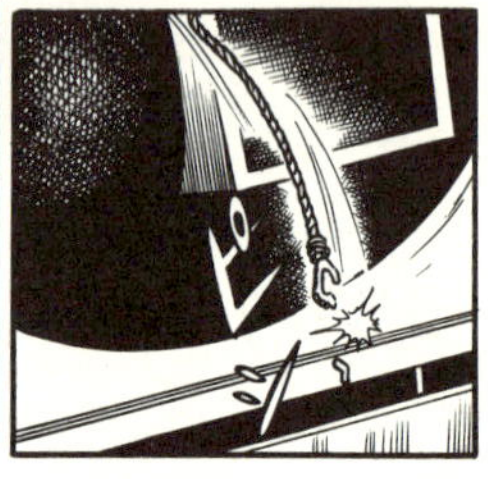
ピン

売日2~3割引
ゴロッ
ゴロゴロ!!

おい ばかに ゆれるな!!
おかしいな 車が 動いている のかな!?

ゴロゴロ
ガッ
なんだ あれは!?

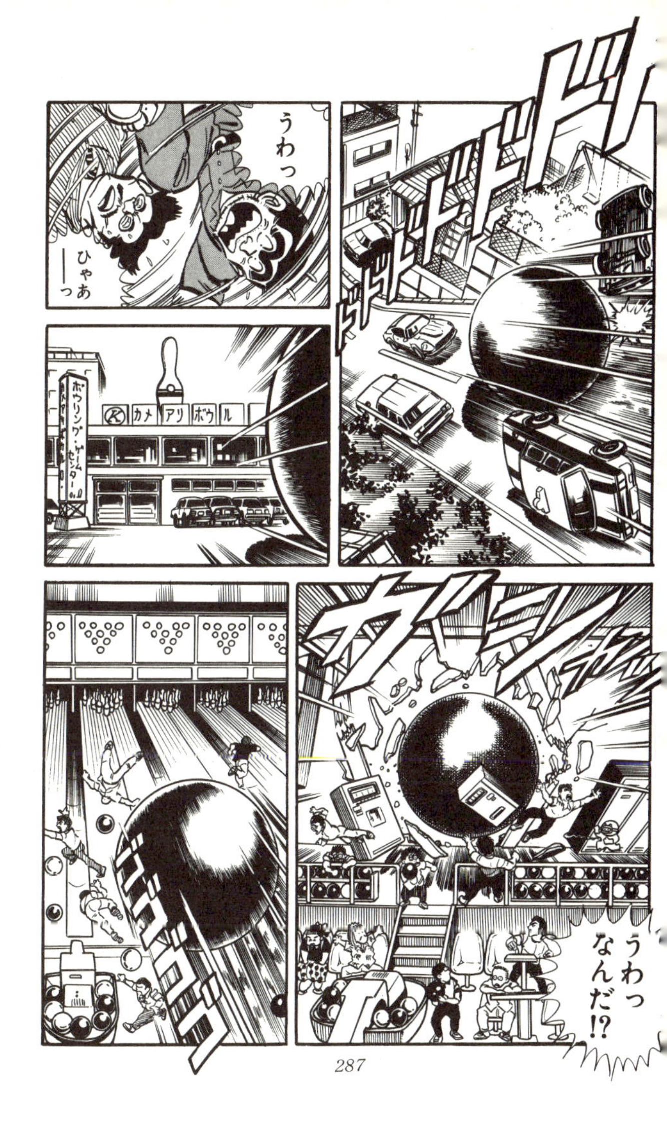
うわっ
ひゃあ——っ
ボウリング・ゲームセンター
カメアリボウル
うわっ なんだ!?

パッ

シェルターってのは 目が回る! とても 生活できん!
これは本来の使い方ではありませんよ

先輩 なんです これは!
本日特売日2~3割引
シェルターとかいう 全然 役に たたん品物だ!

もう おまえ 帰っていいよ これじゃ すすめられん
まって下さい わが社の 新製品が うしろの車に つんであります

今までの シェルターとは ちがい 自ら移動できる 画期的な品です
どんなのだ そりゃ…?

これこそ地中を進み放射能のない所までにげるという機動型シェルターです
なんと昔サンダーバードで見たようなやつだな

どうぞご試乗ください
こりゃおもしろそうだ
あっ先輩
ギュラ ギュラ
ドドドドド

まるで
モグラ
みたい
だな

ブロロロ
あっ

なに事だっ
この巨大な車は
今 署に
連絡がはいって
調べに
きたところだ
ぼくも
わかりません
今 先輩が
この車の人と
いっしょに…

なに?
やはり
あいつの
しわざか!

中川 乗れ
いっしょに
両津を
追うんだ
追うと
いっても
その………
地下で……

ガガガガ

今 新宿のあたりです わずか15分でつきました
すごいな こりゃ

大地震などおきたら地上はメチャクチャですからね 地面が一番安全 どこへ いくのも一直線でいけますよ

こりゃ便利だ こりゃ売れるぞォ うむ!
しかしあまり多くの人が使うと地盤沈下の心配があるんですよ

ガガガガ

おや 空洞にでたぞ?
なんだと!?

プァ
ば…ばかっ
地下鉄だ
早く進め!
ガガガガ
は…
はいっ

東京は
地下鉄が
多いんですね
おどろいた
!!
どこが
地面が
一番安全
なんだ!

プァンプァン

プァンプァン
ガガガー

部長
あまり 深追い
しない方が
いいんじゃ
ないんですか?
今日という今日は
許さん!
絶対 つかまえて
やる!

相手の通った
この道を
行けば 絶対
つかまる！
それは
そうです
けど……

なん度も
同じ所を
通ったようです
道が わかれて
ますから

あっ 光だ
あそこが
出口だ！

でたっ

ブティック
BUTEちゃん
なんだ
ここは？
coffee
タカイ
一万円
高い！

新宿の
地下サブナード
のようです
けど……
両津め
こんなとこまで
走るとは……
怪獣みたいな
やつだ！

こまったな 帰り道が わからなく なって しまった
ガガガ
おい おい 止まって 地図みろよ! これじゃ ディグダグ だぞ

ここが 丁度 日本銀行 地下あたりだ と思うんです がね?
このまま さまよって ガソリン切れで うまっちまったら それっきりだぞ

これは ガソリンじゃ ありませんよ 太陽電池 システムで 動いてるんです
地中じゃ 太陽なんか ないぞ!

そこが このシェルターの欠点 なんですがね
何考えてるんだ この男……

アニキ もう いいんじゃ ないのかい?
あと 一メートルだ もう少し 掘るんだ
ザッ
ザッ
ガラ
ガラ

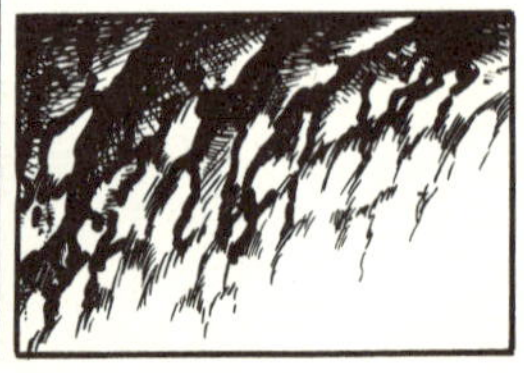

よし この真上が丁度金庫だ
ついにやりましたねアニキ

何しろ計画に4年もかけてるからなバッチリだぜ
もうひと息だ
わっせわっせ
ザッ

ガキッ

やった——っ金庫だあたった
やったやった
ちょっとまて！

ばかに近いな7メートル上のはずだが…
測量のちがいですよちゃんとみえてるんですからまちがいありませんよ

おい下の方で物音がしないか？
さあ全然……

用意した爆薬をここにしかけて…
これだけあれば十分だろ

早くかくれろ!
はいっ

下に何かいるぞ!
まさか!はっははは

やったーっ金の山だ!!
大成功だやった!

おかしいな機械ばかりゴロゴロしてて金が ないいな

おや
ここに
何か
うまってる

あっ
いてててっ
何が
起こったんだっ

やばい
警官だ
!
にげろ!!
ガサン

なんで
土の中に
警官が
いるんです
?
オレにも
わからん
とにかく
にげろ!

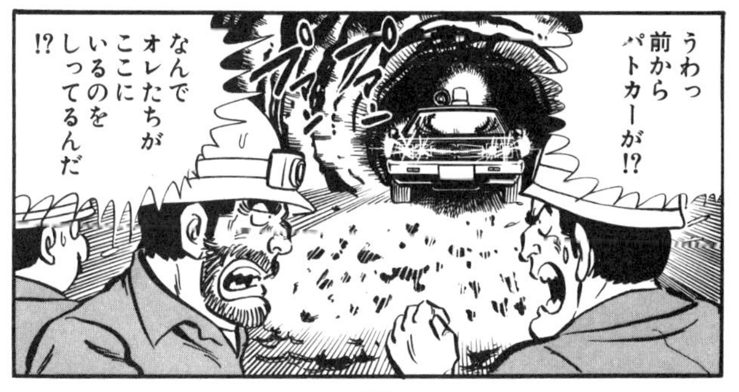
うわっ
前から
パトカーが!?
なんで
オレたちが
ここに
いるのを
しってるんだ
!?

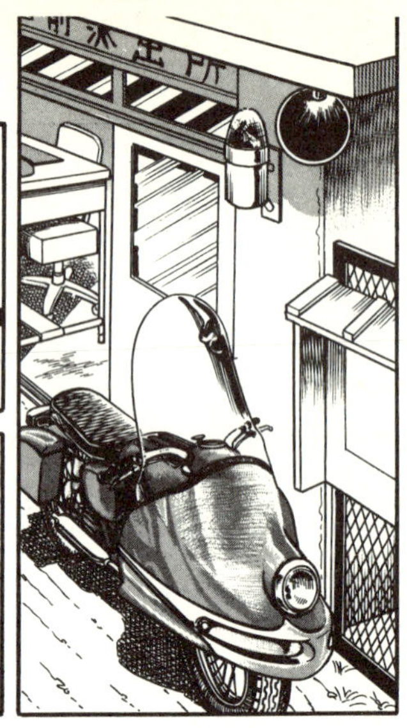

★週刊少年ジャンプ1982年32号

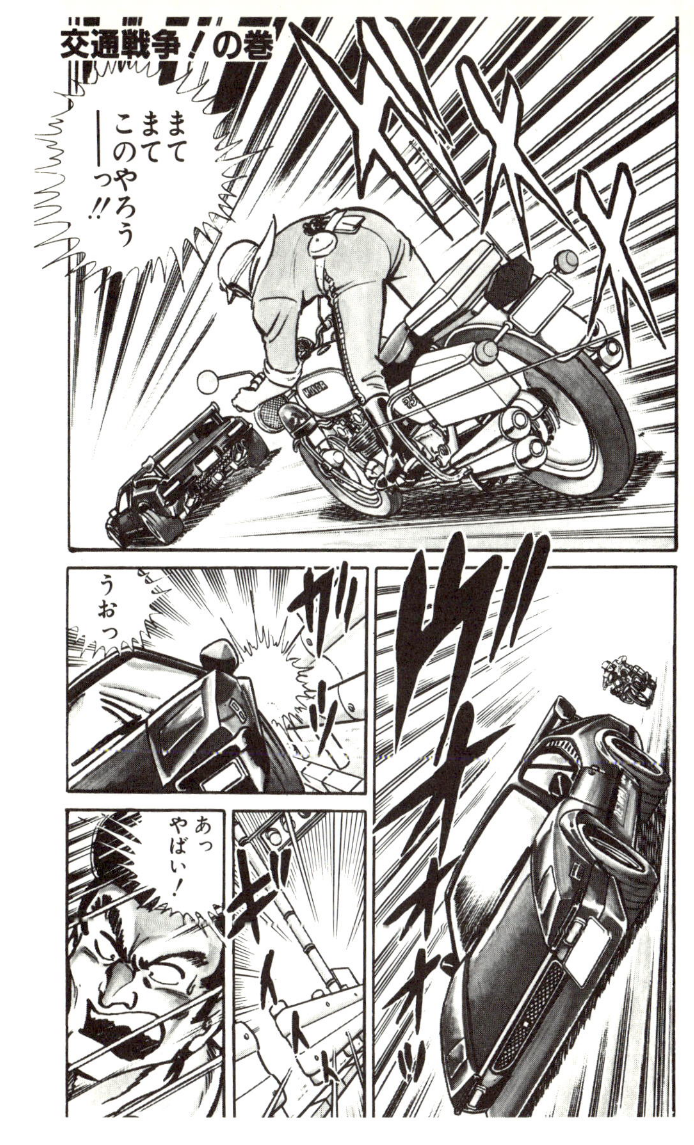
まて
まて
このやろう
――っ!!
うおっ
あっ
やばい！

交通戦争！の巻

やりやがったな!
ギィ

しつこく追いすぎだぞっちくしょう
なにっ

本田速すぎるぞまったく!
自転車じゃ追いつけないぞ!

文句あるのかよおい!
い…いえ別に……

あーあ
信号機
こわし
やがった!
こいつが
逃げ回り
やがって

おまえが
しつこすぎ
るんだよ
バカッ
カン
いて!

この信号
どうなって
いるんだ
なんとか
しろ!
ビビーッ
いけね
渋滞し始め
たぞ……
ブブーッ
ブブーッ
ブーッ

まったく!
早く
その車
どかして
おけ!
おう
交通
整理の方は
まかせた!

はい!
こっちの車
走って!
早く
早く!

あいて!

ばかやろう
そっちの車は
ストップだよ!
そうか
どうも
どうも

目の前に
立ってりゃ
わかりそうな
もんだよ
はい
今度は
こっち!

ひき殺す気か!
警官をよけて
走れ!
小さくて
みえなかっ
たもんで…
ブルル

命がけだよ まったく!

早く こっちを 通して くださいよ もう 5分も たってる
そうか すっかり 忘れてた

おい ストップ! 今度は こっちの番だ

ちくしょう むこうの 車の方が 強い!
どうするんです このまま まつんですか?

こうなりゃ 実力行使しかない
おれさまを みくびるなよ……
チャッ

止まらんかあーっ!!
うわっ
わっ
ぎゃあ——っ
動くなよこら!
すごい!車の流れをピタリと止めたぞ
まるでモーゼのようだ

プァン プァン プァン
やっと
パトカーが
来た…
助かった

なんだ
こりゃ
!?
キイ

世直し巡査
石頭鉄岩
見参!
義により
すけだちに
まいった

あっ!
例の安全指導の
変態人間!
世の
交通道徳の
鑑として 再び
舞いもどって
きた!

者ども
ただちに
信号を
直すのだ!
はっ

ブロロロ…
これで よし
わしの目の黒い
うちは 事故など
許さん!
大魔神みたいな
かっこして
まったく!

今回も
気持ち悪い
車に乗って
きたな!
これぞ
90年代の
安全
対策車と
よべる!

これから安全運転キャンペーンをする　きみもくるか?
おもしろそうだな　よしいこう

ドアもすごいな　まるで装甲車なみだ
ガチャ

ずいぶんお守りがいっぱいあるな

全国各地の交通安全お守りが　ここに集結している
十字架まであるのか

ヴロロロロ

ちゃんと16点式安全ベルトをしめなさい
こりゃ…複雑だ…

割り込みや
クラクションで
運転手が
殺される
ご時世だ
このままでは
道路の
あちこちで
殺しあいが
おきかねん

基本的な
安全運転をせぬ
悪質
ドライバーが
多すぎる
この私が
神と かわって
指導せねば
ならんのだ

一時
停止!
ぐえっ!!
キィッ

さらに
おりて 右左を
しっかりと
指さし確認する
わかるか!
急に
止まるなよ
まったく

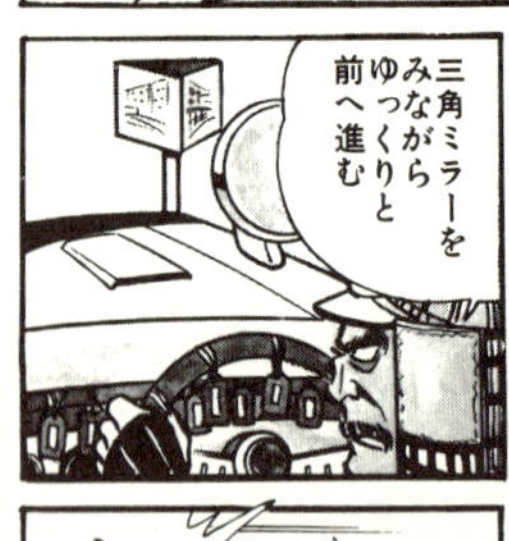
三角ミラーを
みながら
ゆっくりと
前へ進む

おっ

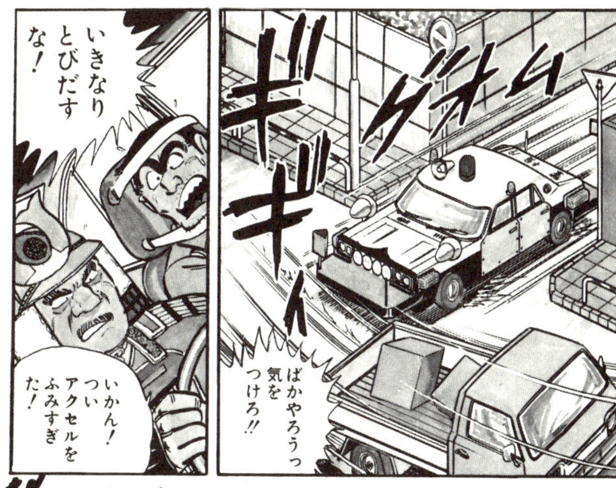
グオム
ギギギィ
ばかやろうっ気をつけろ!!
いきなりとびだすな!
いかん!ついアクセルをふみすぎた!

それにしてもこんでるなあくそ!
こういう時こそ平常心を持って運転せんといかん
ゴオオオオオッ
うおっ

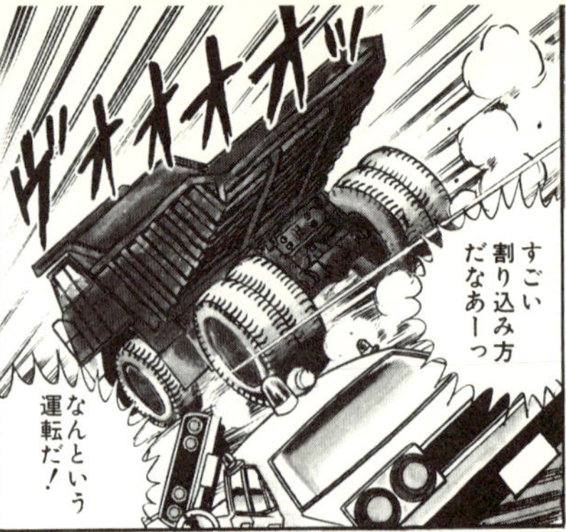
ゾオオオオッ
すごい割り込み方だなあーっ
なんという運転だ！

うぬっ許さん！

プアーン
プアン
前の車！どきなさいどきなさい!!
天下御免のパトカーのお通りです

無理して通るなよ対向車線を通ればいいだろ
うむそれも一案じゃ

ドドドゥ
プアン
プアン
プアン
プアン
前へ回って止めるしかない！

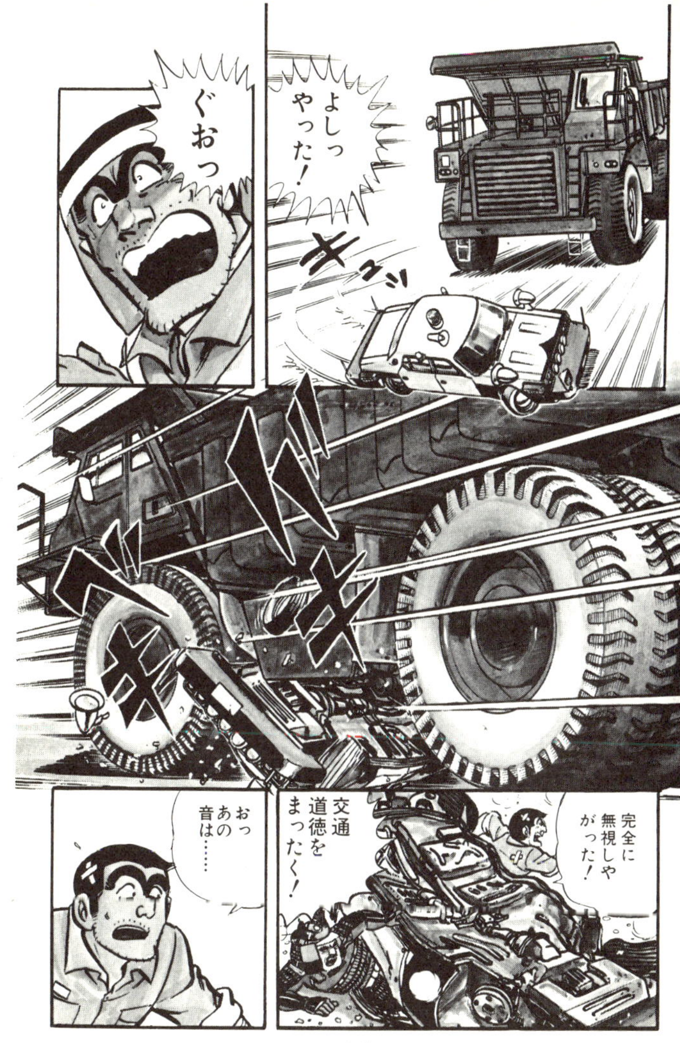
よしっ やった!
ぐおっ
キュッ
グシャ
ギギ
完全に無視しやがった!
交通道徳をまったく!
おっ あの音は……

大丈夫か!?
心配して
ついてきたら
このありさま
だ!
ドドドッ
いいところに
きた!
すぐ
追うんだ!

ドヴォオオオッ

いちいち
お巡りの
いう事
きいて
いられるかっ

ん?
ドドド

あっ
しつこく
追って
きやがった
!
このやろう
にがすか!!
ドドドドド

やばい にげろ！
ガチャ

悪質ドライバーは許さん
おい無理するなそんな姿で！

なんとかふりきったようだ

うおっ

ガシャン
うわっ助けてくれーっ!!
きさまのようような交通道徳のないやつには免許をやるわけにはいかん！
すごいバイタリティーがあるなこの男は……

いやあ
とにかく
すさまじい
男だよ
車
残念でしたね
こわれて
しまって…

やあ
こないだは
ごくろう
だったな
なんだ
そりゃ?
ギュラ
ギュラ
派出所前公園

ギュララ
ギュララ
ギュララ
今度は
絶対
つぶされん
ようにした
これなら
安心だ
自衛隊にでも
入隊した方が
いいんじゃ
ないのか……
警視庁

★週刊少年ジャンプ1982年35号

熱戦!!

学園祭の巻

えっ学園祭で店だすんですか!?
ビィィィィーン

近所の亀有大学で模擬店をたのまれたのだ
なんで警官がそんな事やるんすか!
ヴオオオオッ

これも地域住民とのふれあいの一環だ

もうかった金は全部 自分のふところに入れていいんすかね?

全額交通安全対策に寄付するわしたちは一円も受けとらん
そんなバカな！愛のチャリティーショーじゃあるまいし
広辞苑

私は飲食店をやるおまえは商売はプロだからもう一店まかせる
ちぇっ人を大阪商人みたいに！

しかたない中川いっしょにトウモロコシ屋でもやろう

ぼくは部長の方を手伝いますよ！
先輩と組むとあとがこわいから…

じゃ麗子いっしょに天津甘栗でも……
わたしも部長の方を手伝いたいわ

ちくしょうわかったよ！
わしひとりでやりゃあいいんだろみてろよおまえら！

青亀小学校
こりゃ
いいところ
20点だね
大型
300円
小型
50円

もっと
緑銀とか
高い色
つかわなきゃ
だめだよ
はい
20点券
300点ためると
大きな型と
とりかえる
からね
もっと
いろんな色
つけないと
点数くんないぞ
あのおじさん
そうか!
カター組 (カタ・2色・綿棒)
100円

よう 安
相かわらず
ガキをだまして
あこぎな
商売してるな
なに!
あっ
両津さんじゃ
ないすか!
今どき
カタ屋など
はやらねえぞ
まったく!

ところでよ出店かしてくれないかちょいとの間でいい
えっ？ダンナが商売やるわけ

やばいすよこのあたりナワバリがうるさくて
男のメンツがかかってんだよ協力しろよな！

日本

大学祭

さて
これで
店は
できたな
さっそく
作る用意を
するわ
クレープ
先輩
こない
ですね
あいつめ
結局
口だけだな!
ゴゴゴ
ん!?
ドルルル
はい
前を
あけて!
工事の
じゃまです
どきなさい

よし！
そこだ
そこに
たてよう
おい
パイプ
おろすぞ
よし
オーライ

おい 両津
なんの
マネだ
これは？
おや
部長

私
昨今の
大学生は
何が好みか
ゆうべ
思案しました
ズバリ！
ディスコと
スナック
これしか
ない！

建売住宅
たてる気じゃ
ないだろう
な！
とんでも
ない！
模擬店
ですよ

学園内に そのふたつを たてれば 絶対もうかる 一年で 元は とれますね
本格的に 商売するんじゃない!

すいません 学長が あまり 派手に やられては こまると……
みろ! すぐ かたづけ させろ!

シャレの わからねえ 大学だな まったく!
おい 中止! 中止!

ディスコは だめだ 金魚屋に する
と…突然 いわれても 用意が……

なんとかしろ その道の プロだろうが!
冬場は 金魚は むつかしいですが なんとか!

結局 ザリガニ つりか!
焼いて 売った方が もうかんじゃ ねえのか?
ザザ
ザザ
ザザ
ザリガニツリ
1回100円

結局ザリガニつりにおちついたようですね
大学生があんなもんやるとでも思ってるのかあいつ

それにしてもテキ屋姿似あうな!警官とは思えん
やはり道をあやまったんですかね……

道ゆくナウいギャルねえちゃんどうやってかない?
イカの足つきつりざお一本百円つり放題

くそきたない物をみるような目で通りすぎていきやがった
やはりエビフライしかないかな?

どうです大将売れてますか?

ばかやろうこんなエビラの息子のような物がギャルに売れるか!
バシッ
あいったた!

すいません
すぐ 別のやつ用意します
若い女の子にうけるやつ!
なんだよ
いったい!?
筑波山名物
ガマの油売り
いいいい……
ピク
ピク
…は
よしまして!
ワタがしはどうでしょう
?

はい
夢の国からやってきたフワフワのワタがし!
日本古来のそぼくな味
今 ここによみがえりました
わたがし
両津堂
あっ
かわいい

甘さをおさえた塩味!
これならふとらない
さあ
一家に一本

おもしろそうね
買ってみる?

2本
ちょうだい
3本ね
はい
おさないで!
緑色もあるよ!
ザワ
ザワ
けっこう
あたってますね

やった
いいペースで
売れてるぞ
ははは!
ザラメと
わりばし一本で
こんなに
わりのいい
商売はない
あの
すいません
ワタがしの
機械かして
もらえま
せんか?
なに

タコヤキが
売れなくて…
そのワタがしを
ぼくらも
やってみよう
かと……

これだ
!

よろしい!
機械と
ザラメ3キロを
入会金五千円で
かそう!
そのかわり
売り上げの
70%は
本店に
わたすように!
はい
わかり
ました!

おーい
安!
はい

ワタがしの
機械
ありったけ
もってこい
!
え!?

さあ
いらっしゃい
両津堂チェーン店
メルヘン
チックな
おかし
ワタがしを
どうぞ!
わたがし
両津堂チェーン店

うーむ
すごい
売り上げ
だな……
フランチャイズ
チェーンに
してるとは
考えてますね
どうかね
店長?
はっ
おかげで
もうかって
ます
チェーン店
おや?
この店は
カンコ鳥が
ないてるね
二千羽くらい!
レープ

おや？
巨大ギョウザと思っていたらこりゃワンタンか？
東京ワンタン本ぽというのはこの店か？なるほど…

まあ世の中実力のある者しか生き残れんよははは
部長！おさえて！

ようし！わたしが本場フランスのクレープを焼いてお客さんを集めてみせるわ
麗子くんがんばってくれ両津だけには負けたくない！
ジュウウ

あんずあめ

うぬっ今度はむこうのが売り上げのばしてきたぞ
ガヤ
ガヤ

ダンナ
また 一店
ワタがし屋が
つぶれて
機械かえして
きたぞ
なんだと
!?

店を
拡張しすぎ
たんだ!
ここ一店で…
うるさい!
わしの
やり方に
口だすな!

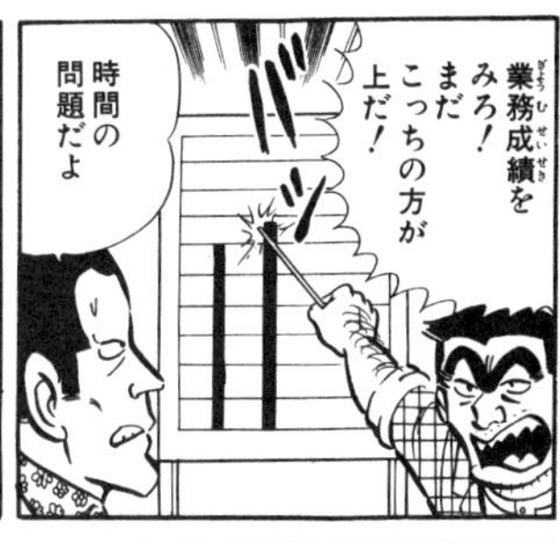
業務成績を
みろ!
まだ
こっちの方が
上だ!
時間の
問題だよ

なんせ
むこうの
クレープは
うまい!
オレも さっき
たべたけど
バカ!
敵を ほめる
やつが
どこにいる!

まかせろ
うつ手は
いくらでも
ある
ど…
どんな手
だい?

これで
売り上げは
トップだろ!
中川
そうですね
先輩の店は
ぬきましたよ

ざまあみろ
両津のくやしがる顔が目に　うかぶよ
ははは

おじょうさん
ラムマロンクレープをひとつくれ!
はい!
300円になります

ゴソ

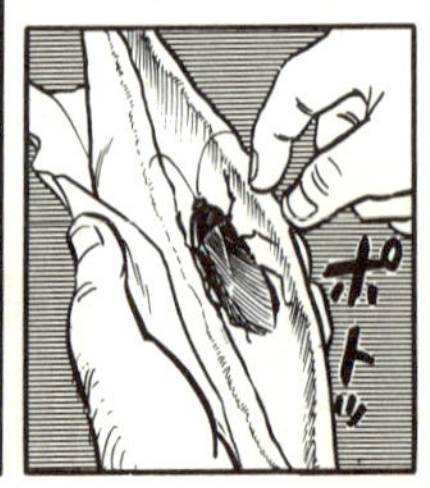
ポトッ

ひええーっ
クレープの中にゴキブリが!!
きゃあーーっ

みなさん！
みましたか！
この店では
ゴキブリ入りの
クレープを
店にだします
！
ひどい店だ
みなさん！
ほらっ
ほらっ
ぐえぇーっ
く……くるしい
!!
ゴキブリ
クレープの毒が
ぐわああ！
ゴロ
ゴロ
どうした
ゴキブリ
だと!?
今の人が
突然……
ガタ

あら？
いなく
なっちゃっ
たわ……
これは
作り物の
おもちゃ
ですよ
なにっ

どんな
客だった?
それが
帽子かぶって
サングラスと
マスクで
顔が　よく
わからなかったわ
そのイデタチで
今の行動なら
でてくる答は
ひとつしか
ない!
先輩だ
………
どういうわけか
お客さんが
ふえちゃった
こりゃ　神さまの
おかげだ
はははは
とんだ
神さまが
いたもんだよ
サラ
サラ
ざらめ糖
3本
ください
あいよ
景気よく
ドカンと
でかいの
つくって
やるよ!
ざらめ
ぐおっ

なに事だっ
ザラメが
爆発したぞ
!?
ばかな!?
火薬でも
はいってたのか?
両津堂

くそ〜〜〜っ
なんて
きたない
手を……
ようし
売り上げ
負けて
たまるかっ

ただ今
ワタがしを
買った方
10人にひとり
ダイヤを
あげるぞ!
きゃあ
——っ
本当!
買うわ!
両津堂

なんと
卑劣な
手段を
……
あれじゃ
売り上げ
伸びますよ

ようし
こっちも
クレープ
買った方
先着10名に
グアム島
招待!

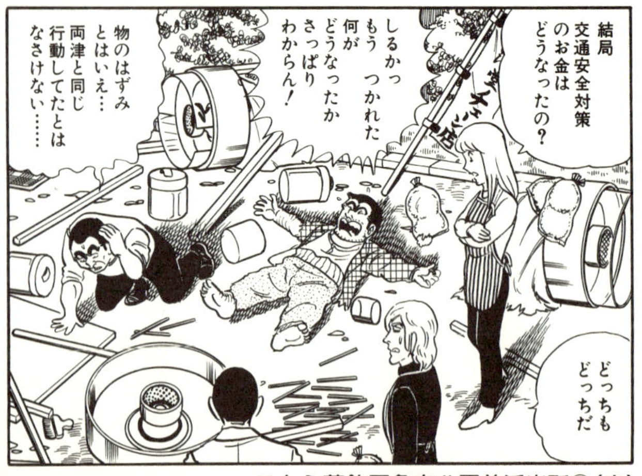

こちら葛飾区亀有公園前派出所⑰(完)

★週刊少年ジャンプ1982年45号

解説エッセイ「時代が求めてる『こち亀』」

武田鉄矢（俳優・歌手）

僕が『こち亀』と出会ったのは、連載当初からでしたね。二十年以上前だから、まだ大学生だったたか、デビューしたての頃だったと思います。とにかく、大笑いしたのは覚えてます。無茶苦茶でね（笑）。日常会話がそのままギャグになってるのが面白かった。毎回、コンスタントに愉快で、作品の質そのものはいつも高かったですね。

僕が学生の頃って、漫画はもう全盛期というか、百花繚乱だったから。やっぱり『あしたのジョー』とか、真剣に読んでたからね。そんな中で時代的にはちょっと後になるけど、ある意味で無思想というか、無鉄砲な『こち亀』の両さんっていうのは人気がありましたよ。何が痛快だったかっていうと、こういう警官は絶対警官から嫌われるだろうなっていうね（笑）。

『こち亀』は、『ダーティハリー』の影響から誕生したそうですけど、実は僕も『ダーティハリー』から『刑事物語』を思いついたんです。あの映画を最初に見たときの衝撃っていうのは、今でも忘れられないですね。でも、『ダーティハリー』の影響で始まったとしたら、本当に長生きですね。それだけ、秋本先生の時代を見る目がすごいってことなんだろうな。

両さんって、なんていうか、破壊性のあるヒーローとでもいうのかな。善人も悪人も全部壊しちゃうんだよね（笑）。でも、それって非常にナンセンスなんだけど、どこかで一理あるんだよね。今の世の中って、なんでも決まった物差しで正義とか真実とかを測る人がいっぱいになっちゃったけど、そういう人ばかりだと、ホントにみんな息苦しくなってくる。そんな中で、両さんが持ってるすべてを壊しちゃうパワーっていうのは、ひょっとしたら一番人間として正しいパワーなんじゃないかとも思えるんですよ。昔でいうと、ガキ大将の典型だよね。両さんを金八先生に置き換えるとしたら、いじめた子もいじめられた子も両方なぐっちゃうみたいな（笑）。でも、そっちのほうが平べったくなるんだよね。人間って、単純に正義じゃ測れないんだから。お金を届けると頭をなでてくれるお巡りさんもいいけど、何をしでかすかわからないお巡りさんのほうが気になっちゃうんだよね。善と悪を考え始めると、ものすごく複雑になって訳わかんなくなっちゃうけど、両さんはそういうのを全部焼け野原にするみたいな勢いがあるよね。およそ、民主主義的とはいえない（笑）。でも、民主主義って結構くたびれるんだよね。真実っていうのもくたびれるでしょ。彼は動物的だから、イイ女とか、かっこいいマシンに惹かれちゃう。そういう、こう単純な本能みたいな好き嫌いの感情っていうのは、やっぱり人間を動かす大きいエネルギーに成りうるんじゃないかな。

両さんみたいに、すべてを破壊する元気の良さっていうのを、時代を通り越してみんな求めてるんじゃないのかと思います。『こち亀』が百巻に至るまで愛されてるっていうのは、昔は発揮できたけど、今は閉じ込められてしまっているものの象徴として、子供たちの〝夢〟みたいなものを刺激してるのかもしれないね。

それに、時代のどこかを捉えてるでしょ。百巻以上続いてるってことは、ある時代の深い所に確実に触れてるんだよね。でないと、続くわけがないもの。二十年以上、変わらずに漫画の畑にいるってことはすごいよ。続いてるものってのは、一番努力が必要なんですよ。基本的には、オリンピックのスキーのクロスカントリーだよね。山あり、谷ありみたいな。派手なだけのスノボーとかじゃなくて(笑)。ホント、メダルの価値のあるクロスカントリーですよ。

書店で『こち亀』のコミックスを一生懸命に読んでる小学生を見かけたことあるんだけど、僕との年齢の差ってすごいわけじゃない? 同じ作品を二十年、三十年の時を越えて楽しめるっていうのは、奇跡的なことだと思うんですよ。『ドラえもん』が切手になってるんだから、『こち亀』も絶対切手になっていいよね。

それから、僕も漫画の原作をやったことがあるんだけれど、連載を続けてるとだんだん思うように動かなくなってくるんですね。自分はこうしたいのに、誰かが「いや、それは両さんらしくないですね」っていわれると、もう「作ったのは俺だ！」っていいたくなる。そりゃもう、孤独な戦いですからね。気持ち的には、ほとんどジグソーパズルだと思うんですよ。はめ込んで、作っていくわけですよね。これがね、順調にいってるときは、きれいにすぐできるんだけど、うまく入らない時ってのもある。そうなると、もう一回全部置き直さなきゃならない。大変ですよ。

とにかく、ゴールがないわけですからね。僕のやってたやつなんて、坂本龍馬は死ぬ日が決まってるわけですから、終わりはわかってる。でも『こち亀』はそうじゃないものね。エンドレスな物語で、秋本先生が元気なうちは続けられるわけだから。僕は絵なんか全然ダメですけど、白い紙っていうのはホントに恐怖なんですよ。原稿用紙とか、白い紙って、その前に座って鉛筆握った瞬間に、地球よりも広い荒野に見えますからね（笑）。作詞の時もそうだね。僕は、文字を絵だと思って書くタイプですけど、物語を考えて絵にするっていうのは壮絶につらいと思いますよ。たとえるなら、織物を織るような作業なんじゃないですかね。毎週、毎週、織物を織るっていうのは、それはもういわば巨大な絨毯みたいなものですよね。ペルシャの女性ってのは、それで一生を終えるって話を聞いたことがあります。五歳ぐらいから絨毯を織り始めて、老いさらばえて死んでいくまで織る一枚の絨毯があって、それがその女性の一生だという。それは当然、最高級品らしいんだけど。『こち亀』は、まさに秋本先生が織っている一枚の絨毯なんですよね。

秋本先生が筆を止めたところが終点なわけだけど、ある意味では砂漠の旅にも似てる。一旦出発すると、次の井戸まで一日とかかかってしまう。でも、もう引き返せない。Uターンできないんだ。人生ってのもそういうものだよね。

ただ、これだけたくさんの人が支持しているわけだから、とにかくいつまでもお元気で、これからも白い砂漠の旅を続けて下さい。応援してます！

（このエッセイは、武田鉄矢さんへのインタビューをもとに書きおこしたものです。）

掲載作品は集英社より刊行されたジャンプ・コミックス『こちら葛飾区亀有公園前派出所』第30巻（1984年3月）第31巻（同6月）第32巻（同9月）の中から、著者自らが精選して収録したものです。

 集英社文庫（コミック版）

こちら葛飾区亀有公園前派出所 17

1998年4月22日 第1刷

定価はカバーに表示してあります。

著 者 秋本 治

発行者 後藤広喜

発行所 株式会社 集英社
東京都千代田区一ツ橋2－5－10
〒101-8050
電話 東京 (3230) 6326（編集）
(3230) 6393（販売）
(3230) 6080（制作）

印 刷 図書印刷株式会社

ISBN4-08-617117-1 C0179